PAPIER-CARTON

CARTON

LE GRAND LIVRE DU BRICOLAGE · TOME 2

PAPIER-CARTON

LE GRAND LIVRE DU BRICOLAGE

◆

TOME 2

URSULA BARFF
JUTTA MAIER

Traduction française
Barbara Schild

casterman

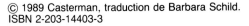

CIP-Titelaufnahme der Deutschen Bibliothek

Barff, Ursula:
Heut basteln wir mit Pappe und Papier /
Ursula Barff; Jutta Maier. –
Niedernhausen/Ts.: Falken-Verl., 1988
(Falken-Sachbuch)
ISBN 3-8068-4413-5
NE: Maier, Jutta:

© 1988 by Falken-Verlag GmbH, 6272 Niedernhausen/Ts.
Titelbild: Isabella Wirth, Niedernhausen
Fotos: Photo-Design-Studio Gerhard Burock, Wiesbaden-Naurod;
Thomas Pfündel, Stuttgart (S. 182)
Zeichnungen:
Annette Bienkowski, AS-Design, Offenbach;
Beatrice Hintermaier, Pinzenau;
Ilse Agnes Stockmann-Sauer, AS-Design, Offenbach

© 1989 Casterman, traduction de Barbara Schild.
ISBN 2-203-14403-3

Cet ouvrage propose une multitude de bricolages de carton et de papier.
En le feuilletant, vous constaterez rapidement que ces deux matières
offrent un éventail particulièrement vaste de possibilités de créations.
Dans les papeteries et dans les magasins de bricolage, vous trouverez
une énorme variété de papiers. Chaque sorte a, évidemment,
ses propriétés spécifiques. A côté des papiers brillants
et des papiers mats, il y a des papiers fins et des papiers épais.
Il en existe aussi dont la surface est plutôt rugueuse.
Tous doivent être traités différemment.

La plupart sont disponibles dans une gamme très étendue de coloris
ce qui est d'autant plus attrayant pour les enfants.
Ceux-ci pourront ainsi acquérir et développer
leur sens esthétique des couleurs.

Le papier offre, par ailleurs, des avantages qui ne sont pas à négliger :
il est léger, il est généralement bon marché et il peut aisément être stocké.

Toutes les suggestions rassemblées dans cet ouvrage sont classées
par thème. Ainsi, chacun peut choisir l'idée de bricolage qui correspond
le mieux à une occasion déterminée et à la saison
durant laquelle celle-ci se présente.
Bricoler doit naturellement toujours être un plaisir et une réussite.
C'est pourquoi, les suggestions proposées dans les différents chapitres,
ont été classées par degré de difficulté. Celui qui cherche une idée
de bricolage facile et rapide à exécuter, doit commencer par consulter
les premières pages de chaque chapitre. Mais peu importe
que l'on choisisse un travail de bricolage fastidieux
ou un objet facile à réaliser.
L'important est de trouver du plaisir à créer quelque chose soi- même.
On peut aussi seulement s'inspirer des propositions
pour faire ses propres créations.

Bon plaisir et bon succès!

Les auteurs

TABLE DES MATIERES

Petite initiation aux matériaux
Accessoires utiles
Décalquer des modèles

Cartes de voeux

Invitation à un barbecue _____ 14
Orange à éplucher _____ 16
Lapin dans un haut-de-forme _ 18
Etoiles pliées _____ 20
Carte à papillons _____ 22
Landau _____ 24
Montgolfière _____ 26
Carte d'anniversaire _____ 28
Carte en relief _____ 30
Carte en fleur _____ 32

Le temps du carnaval

Colliers multicolores _____ 36
Magicien _____ 37
Guirlandes pour la table _____ 39
Dragon cracheur de feu _____ 40
Masque-oiseau _____ 42
Vautour _____ 44
Chauve-souris _____ 46
Serpentin _____ 48
Masques décoratifs _____ 50
Un bon petit diable _____ 52

Bientôt la fête de Pâques

Prairie printanière _____ 58
Lapin à corbeille _____ 60
Oeufs découpés _____ 62
Coq sur un nid _____ 64
Coqs et poules _____ 66
Coqs suspendus _____ 68
Casse-tête chinois _____ 70
Arbre transparent _____ 72
Oeufs en mobile _____ 74

Cadeaux pour toute la famille

Poisson en papier crépon _____ 7
Fruits en papier mâché _____ 8
Tableaux stylisés _____ 8
Cornet à friandises _____ 8
Paysage à collage _____ 8
Tableau en batik _____ 8
Hibou _____ 9
Cerf-volant pour l'automne _____ 9
Portrait en noir et blanc _____ 9
Porte-crayons _____ 9

Emballages cadeaux

Papier emballage cadeau
à motifs imprimés _____ 10
Papier marbré _____ 10
Papier emballage cadeau
en batik de cire _____ 10
Boîtes à cercles _____ 104
Boîte à rabats _____ 10
Boîte triangulaire _____ 108
Boîte "en fleur" _____ 11
Paon majestueux _____ 11

Fête d'anniversaire

Eléphants-marionnettes _____ 11
Serpent à ballon _____ 11
Jeu de fléchettes _____ 12
Petite éolienne _____ 12
Calendrier d'anniversaire _____ 12
Barquettes _____ 12
Couronne d'anniversaire _____ 12
Hirondelle _____ 13
Lapin et hérisson
en ombres chinoises _____ 13
Chien-marionnette _____ 13

Décorations pour la table et les fêtes

Cheval à bascule _____ 142
Lac des cygnes _____ 144
Flottille _____ 146
Serviettes pliées _____ 148
Serviettes en pochette _____ 150
Serviette en éventail _____ 152
Guirlandes
de toutes les couleurs _____ 154

Mobiles et ornements pour fenêtres

Nuages et arc-en-ciel _____ 158
Paysage estival _____ 160
Pigeons à motifs _____ 162
Arbre de vie _____ 164
Pissenlits suspendus _____ 166
Envol de grues _____ 170
Tableau féerique _____ 174
Pêcheur à contre-jour _____ 176

Lanternes

Forme de base
pour lanternes _____ 182
La technique du repassage
et du soufflage _____ 184
Lanterne à motifs perforés __ 186
Lanterne à étoiles _____ 188
Lanterne solaire _____ 189
Lampe à motifs contrastés __ 192
Décorations pour la Noël

Père Noël en papier de soie _ 195
Etoiles en relief _____ 198
Nuage-calendrier de Noël __ 201
Vitrail _____ 203
Etoile bicolore _____ 204
Mobile d'anges _____ 206
Paysage enneigé _____ 208
Crèche illuminée _____ 210
Etoile à branches en relief __ 212
Répertoire _____ 216
Catalogue des modèles à décalquer

Petite initiation aux matériaux

Le papier et le carton sont les matériaux de base pour toutes les réalisations proposées dans ce livre. Il existe de nombreuses sortes de papier et chacune doit être traitée et travaillée d'une manière particulière. Pour vous faciliter la tâche, la première colonne du tableau ci-dessous reprend par ordre alphabétique toutes les sortes de papier dont il est question dans cet ouvrage. A côté, vous trouverez leurs propriétés spécifiques ainsi que des conseils d'utilisation.

Pour savoir où vous les procurer et dans quels formats ils sont disponibles, référez-vous aux indications reprises dans la colonne de droite.

Une série de papiers et de matériaux de bricolage à acheter.

Sortes de papier	Propriétés et conseils	Formats disponibles en magasin
Papier de couleur	Existe dans tous les tons, recto brillant, verso gommé, facile à déchirer et à découper	Feuilles de différents formats En vente par feuille ou par bloc dans les magasins de bricolage ou en papeterie
Papier sulfurisé	Glacé, translucide, mince, peut être utilisé à la place du papier-calque mais est moins robuste et se déchire plus facilement	En vente par rouleau dans certains grands magasins
Papier cerf-volant	Existe dans tous les tons, brillant, translucide, robuste	En vente par feuille dans les magasins d'artisanat et de loisirs
Papier pliant	Tous les tons, mince, peut être utilisé à la place du papier origami	En vente par feuille dans les magasins d'artisanat et de loisirs et en papeterie. Existe dans tous les formats et peut aussi être obtenu préalablement découpé (carré, rectangulaire ou rond)
Carton pour photos	Tous les tons, mince, souple	En vente par feuille dans les magasins d'artisanat et de loisirs et en papeterie
Papier emballage cadeau	Différents tons et motifs, brillant ou mat, recto en couleur, verso blanc	En vente en papeterie, par rouleau ou par feuille
Papier brillant (voir papier de couleur)		
Papier doré	Métallisé, brillant, feuilles d'une seule couleur ou à double face en doré, argenté, rouge, vert et bleu. Très résistant et solide mais a tendance à vite se froisser	En vente par rouleau dans les magasins d'artisanat et de loisirs et en papeterie

Sortes de papier	Propriétés et conseils	Formats disponibles en magasin
Papier Japon	Existe dans différents tons, très absorbant et résistant	En vente par feuille dans les magasins d'artisanat et de loisirs et en papeterie
Carton	Existe dans de nombreuses couleurs, très robuste	En vente par feuille en papeterie
Papier carbone	Utilisé pour reproduire certains dessins, recto lisse, verso noir, peut être utilisé plusieurs fois	En vente par boîte dans les papeteries
Papier crépon	Existe dans tous les tons, extensible, résistant, déteint au contact de l'eau ou de la colle	En vente par rouleau dans les magasins d'artisanat et de loisirs
Papier métallisé (voir papier doré)		
Papier origami	Tous les tons, recto en couleur, verso blanc, résistant, fin, similaire au papier pliant	En vente par feuille ou par boîte de feuilles préalablement découpées dans les magasins d'artisanat et de loisirs
Carton-pâte	Généralement gris ou brun mais existe aussi dans d'autres tons, très robuste	En vente par feuille en papeterie
Papier-calque	Transparent, mince robuste, similaire au papier sulfurisé	En vente en papeterie. Possibilité d'obtenir des restants auprès d'un bureau d'architecture
Papier parcheminé	Glacé, translucide, mince, résistant, peut être remplacé pour certains bricolages par du papier sulfurisé	Se vend en papeterie par rouleau ou par feuilles de différents formats
Carton bicolore	Carton robuste, recto dans différentes couleurs, verso uni	En vente en papeterie par feuille (de 50 x 70 cm)
Papier pour patrons	Utilisé pour décalquer des modèles, recto lisse, verso blanc, peut être utilisé plusieurs fois	En vente dans les merceries
Papier silhouette	Recto noir, verso blanc, mince	Feuilles de différents formats. En vente dans les magasins d'artisanat et de loisirs
Papier pour machine à écrire	Blanc, lisse	Feuilles de format standard DIN A4 En vente dans les papeteries
Papier de soie	Existe dans tous les tons, très fin, légèrement transparent, se déchire et se froisse facilement, déteint au contact de l'humidité ou de la colle	Feuilles de format standard (70 x 50 cm) En vente dans les magasins d'artisanat et de loisirs
Papier aluminium	Brillant, argenté, résistant, se froisse facilement	En vente dans tous les grands magasins
Papier à dessin	Existe dans tous les tons, résistant, mince, souple	En vente dans les papeteries par feuilles de différents formats standard ou par bloc
Papier transparent	Existe dans tous les tons, translucide, résistant, peut être utilisé à la place du papier cerf-volant	En vente par feuille ou par bloc dans les magasins d'artisanat et de loisirs
Papier plastifié	Existe dans tous les tons, semblable au papier, s'utilise surtout pour recouvrir des cerfs-volants résistant. Doit être fixé avec de la colle forte	En vente par rouleau ou par feuille dans les magasins d'artisanat et de loisirs
Papier pour croquis	Blanc, légèrement rugueux, absorbe bien la couleur	En vente par bloc dans les papeteries

Accessoires utiles

Pour réaliser la plupart des bricolages suggérés dans cet ouvrage, il y a lieu de se procurer, en plus du papier et du carton, toute une série d'accessoires.

Voici ce qu'il faudrait toujours avoir à portée de la main :

- une grande paire de ciseaux
- une petite paire de ciseaux pointus
- une gomme
- un taille-crayon
- une règle
- une équerre
- un compas

Le contour de la plupart des formes à découper pour vos bricolages, doit être tracé avec soin et précision. Vous aurez donc toujours besoin des accessoires repris ci-dessus.

Pour reproduire des formes plus compliquées qui ne peuvent être tracées avec une règle ou un compas, prévoyez en plus quelques feuilles de papier-calque.

Veillez aussi à disposer toujours d'une réserve suffisante de colle car vous en aurez besoin chaque fois qu'il faudra assembler des éléments.

Vous aurez aussi très souvent besoin d'un fil et d'une aiguille. Pour suspendre vos travaux terminés, prenez une aiguille d'épaisseur moyenne ainsi que du fil à coudre noir ou blanc.

Ces accessoires vous permettront de réaliser un grand nombre de bricolages suggérés dans cet ouvrage. Les autres matériaux et outils dont vous aurez besoin sont repris page par page et varient d'un objet à l'autre. Mieux vaut toujours examiner à l'avance la liste des matériaux qui figure au début de l'explication de chaque travail à réaliser. Ainsi vous pourrez déjà rassembler tout ce dont vous aurez besoin. Il n'est jamais très amusant de devoir interrompre un travail en cours, unique-ment parce que l'un ou l'autre accessoire indispensable ne se trouve pas à portée de la main.

L'aménagement de votre surface de travail est aussi très important pour la réussite de vos travaux. Il faut qu'elle soit bien éclairée et suffisamment grande pour que vous puissiez y ranger tous les matériaux et outils dont vous aurez besoin. Comme en règle générale le papier est très sensible à l'humidité, procurez-vous un récipient bien stable pour tous les bricolages qui nécessitent de l'eau (ou de la colle à tapisserie). Pour éviter d'abîmer ou de salir votre surface de travail, recouvrez-la de carton épais ou de plusieurs couches de papier journal. Ceci vaut surtout pour certains travaux comme ceux effectués à l'aide d'un cutter, par exemple.

Et voici encore un dernier conseil. Prévoyez une caisse pour y rassembler tous les restants de papier de couleur ou de vieux carton. En effet, les déchets peuvent toujours servir à d'autres bricolages.

Pensez aussi à collectionner tous les papiers d'emballages cadeaux car ils peuvent vous être très précieux.

Les indications "format DIN" qui apparaissent souvent dans ce volume doivent être interprétées comme suit:

DIN A4: format courant du papier pour machine à écrire *(21 x 29,7 cm)*

DIN A5: moitié du format du papier pour machine à écrire *(21 x 14,8 cm)*

DIN A6: grandeur carte postale *(10,5 x 14,8 cm)*

DIN A3: double du format du papier pour machine à écrire *(42 x 29,7 cm)*

Décalquer des modèles

Nous ne sommes pas tous des artistes et de ce fait, il arrive souvent que nous soyons déçus par les résultats de nos travaux. Pour vous aider, cet ouvrage vous offre des modèles à décalquer pour tous les dessins difficiles à réaliser. Ces modèles sont présentés en général à côté des objets à créer. En cas de place insuffisante, vous les trouverez dans le catalogue des modèles qui commence à la page 217. Les dessins qui sont plus grands que le format du livre ont été reproduits sur une feuille séparée située en fin d'ouvrage.

La reproduction au moyen de papier-calque

Le papier-calque est transparent et solide. Vous pouvez l'acheter dans une papeterie ou vous adresser à un bureau d'architecture. Les architectes utilisent beaucoup cette sorte de papier et il leur reste souvent des déchets que vous pourrez certainement obtenir gratuitement.

Au lieu de papier-calque, vous pouvez aussi utiliser du papier sulfurisé dont les propriétés sont presque identiques. Il est cependant un peu moins solide que le papier-calque. Il vous faut aussi un crayon à pointe souple.

1. Disposez le papier sur le modèle que vous voulez décalquer et suivez toutes les lignes au crayon. Veillez à ce que le papier à décalquer ne se déplace pas.

2. Avant d'ôter le papier, assurez-vous que vous avez bien reproduit toutes les lignes. Enlevez ensuite le papier-calque du modèle.

3. Retournez la feuille de papier et posez-la sur le carton ou le papier sur lequel vous voulez reproduire le modèle.

4. Reproduisez toutes les lignes en appuyant fortement.

Comme vous avez utilisé un crayon à pointe souple, les premières lignes adhéreront au papier ou au carton et le modèle souhaité apparaîtra. Vérifiez si vous avez bien copié toutes les lignes avant de découper l'image.

La reproduction avec du papier carbone

Généralement le papier carbone est plutôt utilisé pour faire des copies de lettres. C'est pourquoi il est surtout vendu en papeterie. Dans certains cas, il peut cependant aussi servir pour reproduire des dessins ou des modèles.

Les travaux de bricolage de ce volume sont de divers degrés de difficulté, indiqués de la manière suivante:

• Travaux faciles: ✂

• Travaux demandant un peu plus d'adresse ou de patience: ✂✂

• Travaux difficiles: ✂✂✂

Cartes de voeux

Le téléphone est certes une invention
très pratique. Mais parfois, il est tellement
plus amusant de recevoir
une carte originale.
Et ce ne sont pas les occasions
qui manquent.
Voici des tas d'idées sympathiques
pour inviter vos amis à une fête,
pour leur souhaiter un bon anniversaire ou,
tout simplement, pour leur faire part
d'une bonne nouvelle.

Invitation à un barbecue

Pas de doute ! Cette carte amusante ne peut être qu'une invitation à une grillade en plein air.

Matériel
- une feuille de papier à dessin brun clair (format DIN A4)
- une feuille de papier à dessin brun foncé (format DIN A5)
- du papier-calque
- un crayon
- des ciseaux
- un crayon-feutre brun
- de la colle

1. Pliez la feuille de papier à dessin brun-clair en deux.

2. Décalquez le petit pain rond sur la feuille en veillant à ce que la partie en pointillés coïncide avec le bord plié de la feuille (suivez les instructions de la page 11 pour décalquer les modèles).

Modèles à décalquer

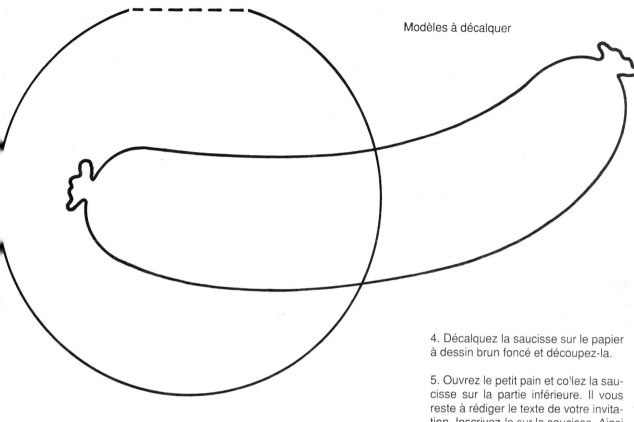

4. Décalquez la saucisse sur le papier à dessin brun foncé et découpez-la.

5. Ouvrez le petit pain et collez la saucisse sur la partie inférieure. Il vous reste à rédiger le texte de votre invitation. Inscrivez-le sur la saucisse. Ainsi vos amis seront d'autant plus surpris quand ils ouvriront la carte.

Découpez le cercle en partant du bord plié. Ne coupez pas le long de la ligne en pointillés afin d'éviter que les deux parties du petit pain ne se détachent.

3. Avec le crayon-feutre brun, dessinez un gros point au milieu du petit pain. En partant de ce point, dessinez quatre à cinq lignes ondulées pour figurer la croûte de votre petit pain.

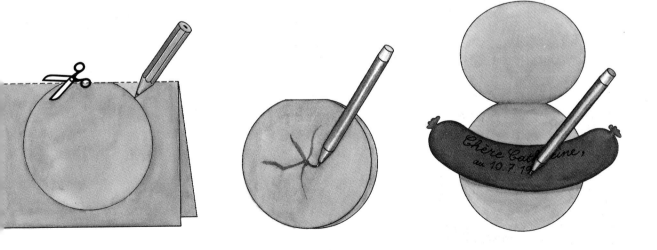

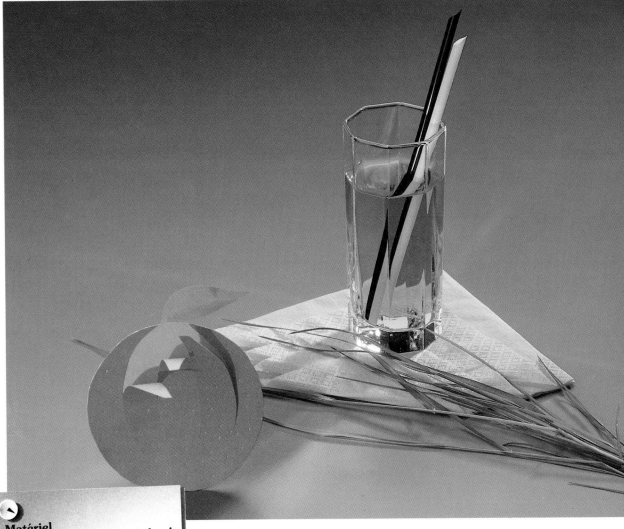

Matériel
- une feuille de papier à dessin orange pâle d'environ 16 x 16 cm.
- une feuille de papier à dessin orange vif d'environ 16 x 16 cm.
- une soucoupe
- un crayon
- des ciseaux
- de la colle
- une feuille de papier blanc pour machine à écrire (de format DIN A4)
- un petit morceau de papier à dessin vert

Orange à éplucher

Voici une carte particulièrement originale. Celui qui la reçoit doit commencer par "éplucher" son invitation. Ce type de carte convient particulièrement pour convier vos amis à un goûter estival ou à un pique-nique.

1. Posez la soucoupe sur le papier orange pâle afin d'y tracer le contour a crayon. Faites la même chose sur papier orange vif. Découpez les deu cercles

2. Enduisez l'une des faces du cercle orange pâle de colle et collez-le sur la feuille de papier blanc.

Découpez soigneusement tous les bords de papier blanc qui dépassent. Vous avez ainsi obtenu une écorce d'orange dont l'intérieur est blanc et l'extérieur orange.

4. Dessinez au crayon tous les quartiers d'orange sur la face arrière blanche de l'écorce (voir le dessin). Toutes les lignes doivent être tracées à partir d'un même point de départ et s'interrompre juste avant d'arriver au côté opposé. Ensuite, incisez les épluchures le long de ces lignes.

6. Tirez doucement les morceaux d'écorce du milieu vers le bas et inscrivez le texte de votre invitation sur le fond orange pâle. Ensuite, pliez-les à nouveau vers le haut.

7. Pour que les bandelettes d'écorce s'enroulent légèrement, étirez-les à l'aide de la lame tranchante des ciseaux.

Ainsi vous obtiendrez une orange prête à être épluchée.

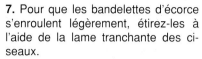

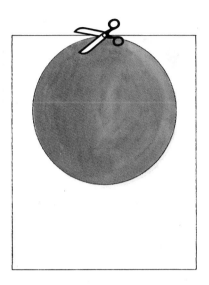

3. Avec l'extrémité arrondie des ciseaux, faites des petits orifices dans le papier. Ainsi il aura l'apparence d'une véritable écorce d'orange criblée de petits creux.

5. Enduisez le contour du cercle blanc de colle et fixez les épluchures d'orange sur le cercle orange pâle (voir le dessin). Veillez à ne pas étaler de colle sur la partie supérieure afin que les morceaux d'écorce puissent se détacher.

8. Pour terminer, dessinez une petite feuille avec une tige sur le papier à dessin vert. Découpez-la et collez l'extrémité de la tige contre la face arrière de l'orange.

Inscrivez le texte de votre invitation à l'intérieur de l'orange, vos amis n'auront plus qu'à "éplucher" ce merveilleux fruit.

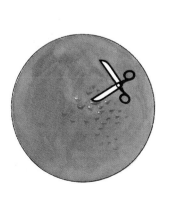

1. Décalquez le lapin de la page voisine (suivez les instructions de la page 11 pour décalquer des modèles). Reproduisez tous les contours du lapin sur la feuille de papier à dessin blanc puis découpez-le. Dessinez la tête du lapin (vous pouvez vous inspirer du dessin de la page voisine).

2. Décalquez le haut-de-forme et reproduisez-le deux fois sur le papier à dessin noir. Puis, découpez les deux hauts- de-forme.

3. Maintenant vous devez inciser le bord supérieur de l'un des deux chapeaux. A l'aide de la règle, faites une marque à 3cm de chacun des bords du chapeau. Tracez une ligne droite entre ces deux points de repère. Puis, posez le chapeau sur une feuille de papier journal et incisez toute la ligne à l'aide d'un couteau de cuisine.

Matériel
- du papier-calque
- un crayon
- une feuille de papier à dessin blanc (10 x 12 cm)
- des ciseaux
- un crayon-feutre noir
- une règle
- une feuille de papier à dessin noire (de 30 x 15 cm)
- un couteau de cuisine
- du papier journal
- de la colle
- un restant de papier de couleur

Lapin dans un haut-de-forme

Ce charmant carton d'invitation se prête à bien des circonstances. Vous pouvez l'envoyer à l'occasion d'un anniversaire ou pendant la période de Pâques. Mais il convient aussi très bien pour convier vos amis à une soirée de tours de magie.

4. Glissez le lapin à travers cette fente de manière à ce que ses oreilles dépassent.

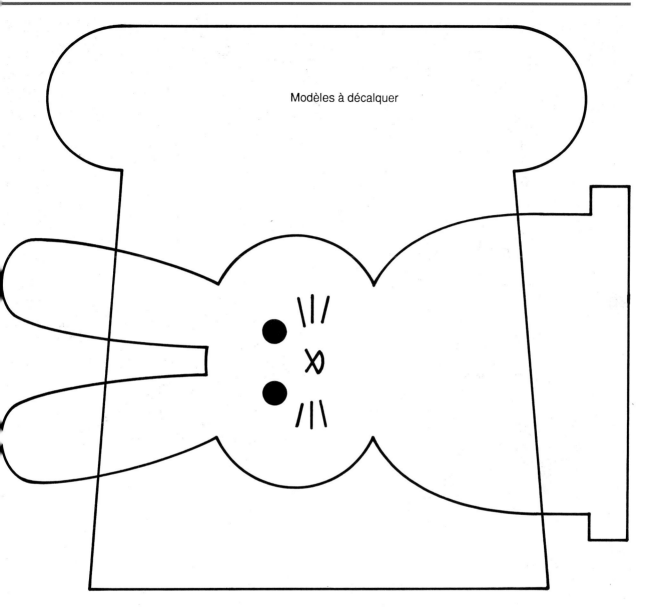

Modèles à décalquer

5. Prenez l'autre chapeau et enduisez tous les bords de colle. Ensuite, collez les deux chapeaux l'un contre l'autre en veillant à ce que le lapin soit au milieu et puisse glisser de haut en bas.

6. Vous pouvez décorer votre haut-de-forme avec une fine bandelette de papier de couleur.

7. Tirez doucement sur le lapin jusqu'à ce qu'il surgisse du chapeau. Il vous reste à inscrire le texte de votre invitation sur le corps du petit animal.

Etoiles pliées

Ces jolies étoiles scintillantes peuvent tout aussi bien servir de cartes de Noël que de petits cartons à accrocher aux cadeaux. Il suffit de tirer sur l'une des branches de l'étoile pour découvrir le message qu'elle apporte.

1. Pour confectionner l'une de ces petites étoiles, il vous faut un triangle équilatéral de 15 cm de côté. Pour cela, prenez une feuille carrée dont les côtés sont égaux à ceux du triangle. A l'aide de la règle, mesurez le milieu de deux côtés opposés et tracez une ligne droite entre ces deux points.

Matériel
- une feuille de papier doré, du papier emballage cadeau ou du papier pliant (15 x 15 cm)
- une règle
- un crayon
- un peu de papier blanc pour machine à écrire

Posez la règle sur la feuille de manière à ce que la graduation de 15 cm coïncide avec l'un des coins et le point zéro avec la ligne médiane.

Ensuite, tracez une ligne le long de la règle. Procédez de la même manière avec l'autre côté de la feuille. Découpez votre triangle équilatéral.

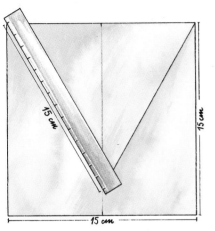

2. A l'aide de la règle et du crayon, mesurez également le milieu des deux autres côtés. Gommez ensuite la ligne en pointillés. Pliez l'une des pointes vers le milieu du côté opposé. Ensuite, ouvrez la feuille et pliez la deuxième et la troisième pointe de la même manière que la première. Maintenant votre feuille est divisée en quatre triangles équilatéraux.

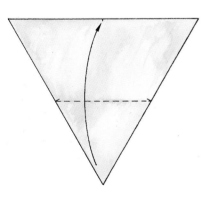

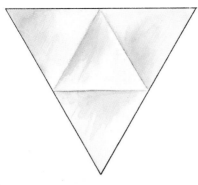

3. Inscrivez votre texte dans le triangle du centre. Si vous avez utilisé du papier doré, collez d'abord un triangle de papier blanc sur celui du centre. Ainsi vous pourrez rédiger plus facilement votre missive.

4. Pour fermer l'étoile, rabattez l'une des pointes vers le milieu du côté opposé. Posez la règle le long du côté AC et mesurez 2 cm à partir du point A. Faites la même chose du côté BC.

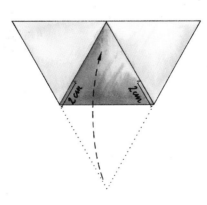

5. Posez la règle sur le papier de manière à relier les deux nouveaux points de repère. Tenez-la bien et rabattez la pointe C par-dessus. Otez la règle et appuyez sur le pli avec le doigt pour bien le marquer. Puis ouvrez à nouveau le pli et procédez de la même manière avec les deux autres pointes.

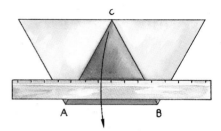

6. Après avoir plié la troisième pointe, rabattez tour à tour les deux autres au-dessus de celle-ci. Glissez l'une des extrémités de la dernière pointe sous la première afin que votre étoile reste bien fermée.

Carte
à papillons

Ces papillons aux ailes multicolores sont très faciles à réaliser et conviennent à merveille pour décorer toutes vos cartes. Grâce à la technique du batik, vous pouvez obtenir de ravissants dégradés de coloris.

Matériel
- des vieux journaux
- un petit morceau
  de papier Japon (5 x 5 cm)
- une petite pince
- de la teinture pour soie
  (choisissez différents tons)
- un fer à repasser
- des ciseaux
- de la colle
- une carte postale
- un crayon-feutre noir

1. Recouvrez votre surface de travail de vieux journaux. Pliez le papier Japon en diagonale, c'est-à-dire angle sur angle.

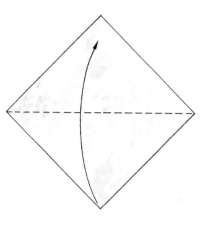

2. Pliez les deux autres angles opposés l'un sur l'autre. Puis pliez une troisième fois la feuille angle sur angle de manière à ce que votre triangle soit à nouveau réduit de moitié.

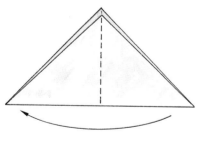

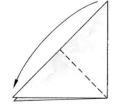

3. Tenez votre papier plié à l'aide de la petite pince et trempez l'un des coins dans la teinture pour soie. Faites la même chose avec les deux autres coins. Vous pouvez choisir des tons différents pour chacun des trois coins ou utiliser la même teinture pour tous.

4. Ensuite, dépliez doucement votre papier et laissez-le sécher durant environ 5 minutes. Réglez votre fer à repasser sur la position "soie" et passez-le sur le papier jusqu'à ce qu'il soit bien lisse.

5. Pour former les ailes du papillon, pliez à nouveau la feuille carrée en diagonale. Puis ouvrez-la et pliez les deux autres angles opposés l'un sur l'autre. Ouvrez-la à nouveau et coupez-la en deux en suivant l'une des diagonales. Chaque triangle sera l'une des ailes du papillon.

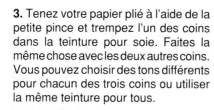

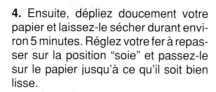

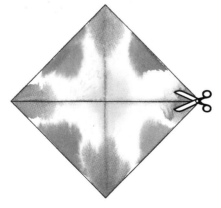

6. Rabattez l'une des pointes vers le haut en veillant à incliner légèrement votre papier. Marquez le pli et rabattez également l'autre pointe vers le haut. La première aile de votre papillon est terminée. Pour confectionner la seconde, procédez de la même manière avec l'autre triangle.

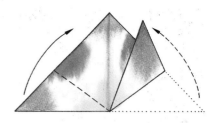

7. Enduisez la face arrière des ailes de colle et fixez-les sur une carte de manière à ce que les trois pointes de chacune des ailes s'écartent légèrement. Dessinez le corps et les antennes du papillon au crayon-feutre noir. Il vous reste à écrire quelques lignes à côté du papillon ou au dos de la carte. Si vous prenez des feutres de couleurs assorties à celles du papillon, vos cartes auront d'autant plus d'allure.

Toute une nuée de papillons

Vous pouvez aussi décorer vos cartes de toute une nuée de petits papillons. Voici comment il faut procéder. Une fois que vous avez peint et repassé votre grand carré, découpez-le en quatre carrés de 2,5 cm de côté. Pour cela, pliez seulement deux fois les côtés opposés du grand carré en diagonale. Marquez bien les plis et ouvrez à nouveau votre papier. Ensuite, coupez votre carré en quatre parties égales en suivant la trace des plis. Pour achever votre travail, suivez à nouveau les instructions ci-dessus à partir du point 5.

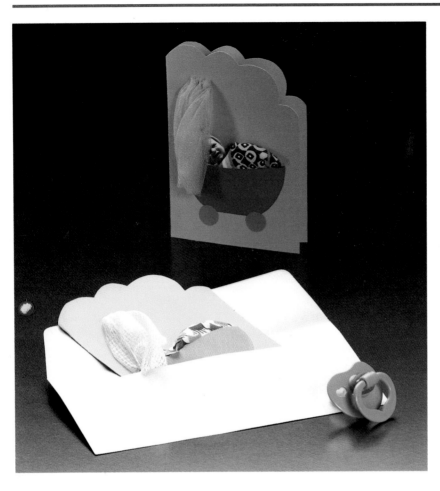

2. Reproduisez la forme du nuage sur votre carte selon le modèle de la page 217 du catalogue (suivez les instructions de la page 11 pour décalquer des modèles). Le sommet du nuage doit coïncider avec le bord plié de la carte et les contours bombés doivent être du côté de l'ouverture. Puis découpez le nuage.

3. Reproduisez le contour du landau sur un restant de papier à dessin et découpez-le (le modèle du landau se trouve également à la page 217 du catalogue).

4. Posez le landau sur la carte en veillant à laisser un bord sous les roues. Tracez le contour arrondi du landau au crayon.

5. Otez le landau et enduisez de colle l'intérieur du contour arrondi.

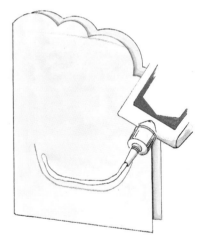

Matériel
- une feuille de papier à dessin de format DIN A5
- du papier-calque
- un crayon
- des ciseaux
- des restants de papier à dessin de deux couleurs différentes
- de la colle
- une gomme
- une petite pièce de monnaie
- des restants de tissus multicolores
- une aiguille et du fil
- un restant de rideau ou un peu de tulle
- une photo de bébé

Landau

Voici un charmant faire-part de naissance. Mais vous pouvez aussi l'envoyer à vos amis pour les inviter au baptême de votre petit frère ou de votre petite sœur.

1. Pliez la feuille de papier à dessin en deux de manière à obtenir une carte à double volet de format DIN-A6.

6. Pressez le côté arrondi du landau contre la colle. Veillez à ce que le bord supérieur s'écarte légèrement du carton. Ainsi votre landau aura une jolie forme bombée. Gommez ensuite le contour tracé au crayon.

7. Pour les roues de landau, posez une pièce de monnaie sur du papier à dessin et tracez deux fois son contour. Découpez ces deux cercles et collez-les contre le landau.

8. Prenez vos restants de tissus et découpez un carré de 6 cm de côté pour le couvre-lit et un deuxième de 3 cm de côté pour l'oreiller.

9. Faites de gros points de couture tout le long du bord du couvre-lit, comme vous le montre le dessin.

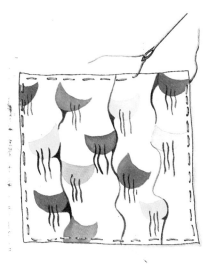

10. Resserrez tous les bords de l'étoffe et nouez les deux extrémités du fil ensemble en tirant bien fort. Votre couvre-lit est terminé.

11. Collez-le à l'intérieur du landau en veillant à ce que le côté noué soit en-dessous.

12. Procédez de la même manière avec l'étoffe prévue pour l'oreiller et collez celui-ci également à l'intérieur du landau.

13. Pour le voile de votre landau, découpez un carré d'environ 8 cm de côté dans un restant de rideau.
Faites de gros points de couture le long d'un des côtés et tirez sur les bords du voile pour bien les resserrer. Nouez les extrémités du fil ensemble.

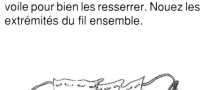

14. Collez le voile sur la carte en veillant à ce que le bord froncé soit environ 6 cm au-dessus de l'oreiller.
Avec un peu de colle, fixez l'un des plis arrière du voile contre le bord du landau. Les plis avant doivent se mouvoir librement afin que l'on puisse écarter le voile.

15. Pour terminer, prenez la petite photo et découpez la tête du bébé. Ecartez le voile du landau et collez-la sur l'oreiller. Le cou doit légèrement disparaître sous le couvre-lit. Celui qui reçoit la carte devra seulement un peu écarter le voile pour découvrir la frimousse du nouveau-né.

Montgolfière

Si un jour vous déménagez, vous aurez certainement envie de prévenir tous vos amis. Cette carte évoquant le voyage est une manière très originale de leur faire part de votre nouvelle adresse.

Mais on peut aussi l'envoyer comme carte de vœux à l'occasion d'un anniversaire ou d'un mariage.

1. Pour confectionner le ballon, prenez une feuille de papier pliant. Etendez une fine couche de colle de part et d'autre de la feuille ainsi que le long du milieu. Posez une seconde feuille de papier pliant sur la première. Veillez à ce que les deux feuilles soient exactement superposées.

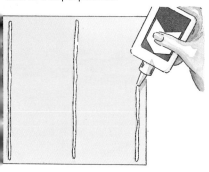

2. Etendez une fine couche de colle de part et d'autre de la médiane de la seconde feuille. Les deux couches de colle doivent être à mi-distance de la ligne médiane (voir le dessin). Posez une troisième feuille de papier pliant sur la seconde en appuyant bien fort.

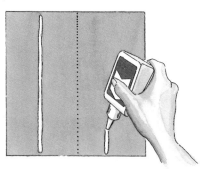

3. Pour la troisième feuille, procédez comme pour la première. Etendez à nouveau une fine couche de colle le long de deux côtés opposés de la feuille ainsi que le long de la médiane. Puis, posez une quatrième feuille sur la troisième.

4. Etendez également deux fines couches de colle à mi-distance de la médiane de la quatrième feuille. Avec la feuille suivante, procédez comme

pour la première feuille et continuez alternativement de la sorte jusqu'à ce que toutes les feuilles soient collées les unes sur les autres.
La colle doit toujours être bien étendue en ligne droite car si les couches se croisent, vous n'obtiendrez pas la forme d'un ballon.

5. Une fois toutes les feuilles collées les unes sur les autres, laissez-les sécher durant une quinzaine de minutes.

6. Pour confectionner votre carte, pliez la feuille de papier à dessin en deux dans le sens de la longueur. Ainsi vous aurez une carte allongée à deux volets.

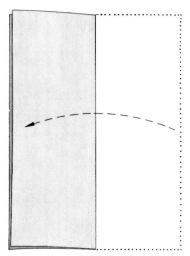

7. Réglez votre compas sur un rayon de 8 cm. Prenez les feuilles collées ensemble et placez-les sur votre surface de travail de manière à ce que les traces de colle soient perpendiculaires à vous. Calculez le milieu de la partie inférieure des feuilles collées ensemble. Puis placez la pointe du compas au milieu du bord longitudinal, comme vous le montre le dessin. Tracez un demi-cercle. Votre arc de cercle doit être transversal par rapport aux couches de colle, sinon votre ballon se disloquera au moment où vous le découperez. Pour cela, veillez aussi à ce que les extrémités de votre arc de cercle ne soient pas tout à fait contre le bord longitudinal des feuilles. Ensuite, découpez le demi-cercle.

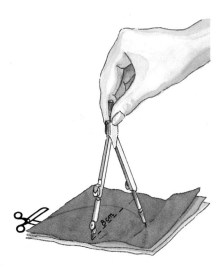

8. Enduisez l'une des faces du demi-cercle de colle et pressez-la contre les feuilles à environ 2 cm du bord supérieur. Le côté droit de l'arc de cercle doit coïncider avec le pli central de votre carte à double volet. Enduisez l'autre face du demi-cercle de colle et fermez votre carte. Laissez sécher le tout durant quelques minutes.

9. Maintenant il suffit d'ouvrir votre carte pour que le ballon de la montgolfière se déploie. Dessinez les cordes et la nacelle au crayon-feutre noir. Il ne vous reste plus qu'à inscrire le texte de votre invitation dans le ciel ou sur la nacelle.

Carte d'anniversaire

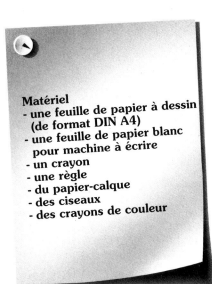

Matériel
- une feuille de papier à dessin (de format DIN A4)
- une feuille de papier blanc pour machine à écrire
- un crayon
- une règle
- du papier-calque
- des ciseaux
- des crayons de couleur

Pour confectionner cette ravissante carte d'anniversaire, armez-vous seulement d'un peu de patience. Le début de votre texte doit être découpé lettre par lettre. Ensuite, il suffit de continuer à écrire à l'intérieur de la carte avec un crayon de couleur.

1. Pliez la feuille de papier à dessin en deux dans le sens de la longueur.

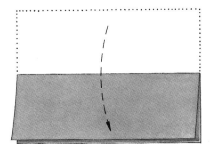

2. A l'aide de la règle, tracez quelques lignes sur le papier blanc. Veillez à ce qu'elles soient de la même longueur que le côté longitudinal de votre carte. Vous pouvez maintenant vous exercer à tracer les premières lettres de votre texte en vous inspirant du dessin ci-dessous. Les lettres peuvent être plus ou moins rapprochées et de grandeurs différentes. L'important est que votre texte soit lisible. Si votre carte est trop longue par rapport au texte, vous pou-vez légèrement la raccourcir en en coupant un petit morceau.

3. Une fois votre texte terminé, repro-duisez-le sur le bord inférieur de la carte. Ensuite, décalquez simplement toutes les lettres ou inventez d'autres caractères. Il faut cependant que vos lettres soient assez larges et bien alignées sur le bord inférieur. Mainte-nant, découpez-les en partant du bord inférieur.

4. Ouvrez votre carte. Prenez vos crayons de couleur et dessinez un motif multicolore sur la partie inférieure du volet intérieur. Laissez-vous guider par votre imagination : votre dessin peut être marbré ou moucheté. A moins que vous ne préfériez un motif plus géomé-trique comme un arc-en-ciel, par exemple. Vous serez surpris de l'effet obtenu une fois que vous fermerez votre carte : toutes vos lettres vont se détacher sur un fond de couleur. Inscrivez le texte de vœux au-dessus du dessin. Pour que votre carte soit encore plus attrayante, tracez quelques lignes de couleur au-dessus des lettres découpées dans le volet supérieur.

Cartes en relief

Le linoleum est une matière dans laquelle vous pouvez facilement graver des figurines et des motifs. Nous vous suggérons à titre d'exemple une ravissante carte d'invitation avec un poisson en relief.

Matériel
- du papier-calque
- un crayon
- une feuille de papier pour machine à écrire blanc
- un morceau de linoleum (de 7 x 7 cm)
- une spatule à large lame et une spatule à fine lame
- deux torchons
- une carte à double volet
- un récipient avec un peu d'eau
- un fer à repasser
- des crayons de couleur

1. Vous pouvez soit directement créer un motif, soit commencer par décalquer un modèle sur du papier blanc.

2. Voici comment procéder pour reproduire votre motif sur la plaque de linoleum. Posez le papier-calque sur la plaque. Posez ensuite le papier avec le motif que vous avez dessiné et tracez à nouveau tous les contours au crayon.

3. Prenez la spatule à fine lame et creusez le contour de votre motif ainsi que les lignes intérieures. Pour creuser les lignes qui sont plus larges, prenez la spatule à large lame.

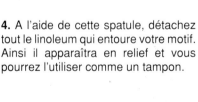

4. A l'aide de cette spatule, détachez tout le linoleum qui entoure votre motif. Ainsi il apparaîtra en relief et vous pourrez l'utiliser comme un tampon.

5. Etendez l'un des torchons sur la table. Il vous servira de support pour la suite des opérations.

6. Plongez la carte à double volet dans le récipient rempli d'eau en veillant à ce qu'elle soit tout à fait immergée. Laissez-la tremper durant quelques instants jusqu'à ce qu'elle soit gorgée d'eau.

7. Posez la plaque de linoleum sur le torchon en veillant à ce que le motif soit au-dessus. Ensuite, sortez votre carte de l'eau et posez-la sur le linoleum. Centrez-la selon l'endroit où vous voulez que le dessin en relief apparaisse sur la carte.

8. A l'aide de l'autre torchon, pressez bien fort la carte contre le motif en relief. L'eau qui s'écoule sera absorbée par les deux torchons.

9. Retirez la carte de la plaque de linoleum et laissez-la sécher. Si en séchant elle se met à onduler, passez doucement votre fer à repasser dessus jusqu'à ce qu'elle soit bien lisse. Veillez cependant à ne pas passer votre fer sur le motif en relief. Mais peut-être préférez-vous les cartes en couleur ? Rien de plus simple. Passez un crayon de couleur sur la carte en le tenant légèrement incliné. Ainsi la structure du papier et votre dessin en relief vont ressortir à merveille.

Modèle à décalquer

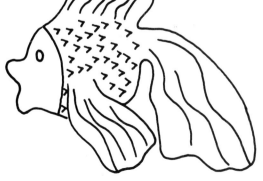

Matériel
- une feuille de papier pliant
  (20 x 20 cm)
- des ciseaux
- un crayon de couleur
  ou un stylo à bille

Carte en fleurs

Cette ravissante carte en fleur demande un peu d'habileté. Mais si vous suivez bien les différentes opérations de pliage, le résultat obtenu vaudra la peine!

1. Pliez la feuille de papier en deux dans le sens de la longueur de manière à obtenir un rectangle.

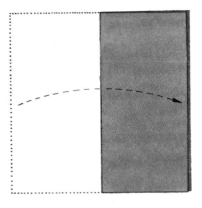

2. Ensuite, pliez votre rectangle en deux. Vous obtiendrez ainsi un carré. Le coin fermé doit se trouver en-dessous à gauche.

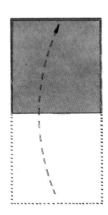

3. Pliez le coin inférieur droit sur le coin supérieur gauche de façon à obtenir un triangle.

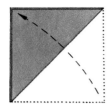

4. Pliez le côté gauche du triangle en diagonale pour former un petit triangle qui dépasse légèrement le côté opposé. Coupez celui-ci et dépliez le papier. Vous avez obtenu un octogone.

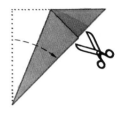

5. Pliez l'un des côtés droits de l'octogone jusqu'à la ligne médiane. Appuyez sur le pli avec le doigt pour bien le marquer. Ensuite, ouvrez à nouveau la feuille et procédez de la même manière avec les sept autres côtés.

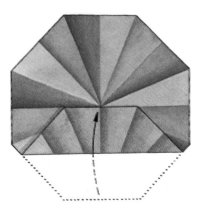

6. A la fin vous obtiendrez un petit octogone au milieu d'un plus grand. C'est le fond de votre fleur sur lequel apparaîtra, par la suite, votre message.

Si le papier est trop foncé, posez un morceau de papier blanc de même format sur le fond de la fleur.

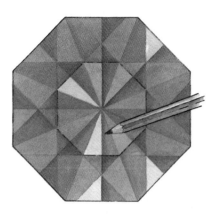

7. Pour plier votre fleur, vous devez soulever chacun des coins de l'octogone. Pour cela, appuyez votre index sur l'un d'eux et tenez le papier entre le pouce et le majeur. Soulevez légèrement le coin et tirez-le vers l'arrière avec votre index. En même temps, aplatissez-le en pressant avec le pouce et le majeur. Procédez de la même façon avec tous les autres coins. Votre papier ressemble maintenant à un petit moule à pâtisserie.

8. Il vous reste à fermer votre fleur. Rabattez toutes les pointes vers le milieu. Inclinez-les légèrement de manière à ce qu'elles se superposent. Votre carte en fleur est terminée. Même si les "pétales" s'écartent un peu, elle ne risque pas de s'ouvrir.

Le temps
du carnaval

Un peu partout dans le monde,
la fête du carnaval symbolise l'arrivée
du printemps et des premiers beaux jours
ensoleillés de l'année. Chacun est prêt
à s'amuser et à se déguiser de la manière
la plus farfelue ou la plus séduisante
qui soit.
Et comme durant la période du carnaval
tout, ou à peu près tout, est permis,
vous pouvez laisser libre cours
à votre imagination pour confectionner
de nombreux déguisements amusants.

Pour que la fête soit une réussite,
n'oubliez pas de penser aussi à décorer
votre maison avec fantaisie. En feuilletant
les pages de ce chapitre, vous découvrirez
une multitude de colifichets à suspendre
dans la salle à manger ou la chambre
ou à disposer sur la table du repas.
Et pourquoi ne pas proposer à vos amis
de créer de jolies choses tous ensemble
pendant que la fête bat son plein ?
Vous pouvez sans problème improviser
des séances d'activités manuelles :
une paire de ciseaux et un peu de papier
de couleur suffisent pour confectionner
tous les accessoires et ornements suggérés
dans les pages qui suivent.

3. Découpez la bandelette en triangles. Pour cela, partez d'un point et incisez le papier jusqu'au côté opposé en prenant comme repère le point situé légèrement plus à droite ou à gauche. Ainsi vous obtiendrez 19 triangles de même dimension.

4. Posez l'un des triangles sur la table de manière à ce que la face en couleur soit en-dessous. Puis, posez l'aiguille à repriser sur la base du triangle. Avec le pouce et l'index, enroulez le papier autour de l'aiguille. Fixez la pointe du triangle avec un peu de colle. Retirez l'aiguille et voici votre première perle terminée. Pour confectionner un collier, il vous faut environ 30 perles. Tout dépend du choix de la longueur de votre collier.

Colliers multicolores

Matériel
- des restants de papier à motifs ou de papier de couleur (du papier emballage cadeau, du papier pliant ou quelques pages d'un magazine illustré, par exemple)
- une règle
- un crayon
- des ciseaux
- une grosse aiguille à repriser
- de la colle
- des aiguilles à coudre et du fil

1. Prenez vos feuilles de papier de couleur et découpez des bandelettes d'environ 30 cm de long et de 5 à 8 cm de large.

2. A l'aide de la règle et du crayon, marquez des points de repère tout le long de la bandelette en veillant à ce qu'il y ait chaque fois 3 cm de distance entre chacun d'eux. Faites la même chose du côté opposé en commençant à 1,5 cm de l'extrémité de la bandelette. Votre premier point se situe donc à 1,5 cm du bord, le second à 4,5 cm et ainsi de suite.

5. A l'aide de l'aiguille, enfilez toutes les perles jusqu'à ce que vous obteniez un joli collier multicolore. Vos perles seront plus ou moins fines selon la largeur de votre bandelette de papier.

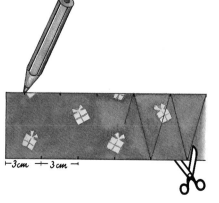

Ces colliers multicolores sont confectionnés à partir de toutes sortes de restants de papier. Ils sont faciles à réaliser et peuvent être assortis aux couleurs de votre costume de carnaval.

Magicien

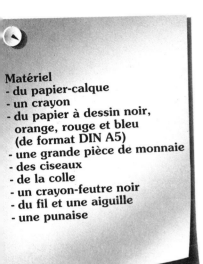

Suspendez ce petit magicien au plafond de votre chambre. Au moindre courant d'air il écarquillera les yeux ou jettera des regards mystérieux à la ronde.

1. Reproduisez toutes les parties du magicien sur votre papier à dessin d'après les modèles de la page 219 du catalogue. Tracez également deux fois le contour de la pièce de monnaie sur le papier à dessin bleu. Puis, découpez toutes les parties du magicien ainsi que les deux cercles bleus.

2. Collez la frange de cheveux le long du bord inférieur du chapeau. Fixez aussi la barbiche et les moustaches avec un peu de colle.

3. Dessinez les pupilles à l'aide du crayon-feutre noir.

4. Prenez l'aiguille et le fil pour assembler tous les éléments de la tête du magicien. Faites passer un fil à travers les trois orifices de la frange de cheveux. Puis, attachez le nez en forme de botte et les deux yeux aux extrémités des trois fils.

5. Reliez le nez à la barbe en faisant passer un fil à travers le point inférieur du nez. Comme la barbe est très grande, nouez le fil de part et d'autre des moustaches.

6. Il ne vous manque plus qu'un long fil pour suspendre votre magicien. Faites-le passer par la pointe supérieure du chapeau et fixez votre petit personnage au plafond à l'aide d'une punaise.

Matériel
- des bandelettes de papier
  à dessin de différentes couleurs
  d'au moins 30 cm de long et
  d'une largeur de 4,5cm pour
  le poisson, de 5 cm pour
  l'éléphant et de 6,5 cm pour
  le papillon
- du papier-calque
- un crayon
- des ciseaux
- une perforatrice

Guirlandes pour la table

Ces guirlandes confectionnées en forme de petits animaux ne manqueront pas de surprendre vos convives. Elles conviennent à merveille pour décorer la table mais vous pouvez aussi les fixer au mur ou le long de vos fenêtres. Si vous désirez qu'elles soient très longues, il suffit de coller plusieurs petites guirlandes ensemble. Pour les suspendre au plafond, prenez une aiguille et faites deux trous dans la partie supérieure de chaque petit animal. Puis, faites passer deux longs fils au travers.

1. Pour confectionner chacune de ces trois guirlandes, commencez par plier les bandelettes en accordéon. Tous les plis doivent avoir exactement 5,5 cm de large. Ceci est très important pour que vous puissiez reproduire correctement le contour de chaque animal.

2. A l'aide du papier-calque et d'un crayon, reproduisez les contours de l'animal sur le carré supérieur de la bandelette pliée. Les lignes en pointillés doivent toujours coïncider avec les bords du carré, sinon les morceaux de votre guirlande ne tiendront pas ensemble.

3. Découpez le petit animal que vous avez décalqué en veillant à ne pas inciser les parties en pointillés. Si votre bandelette pliée est très épaisse, commencez par découper quelques carrés de papier à la fois. Tracez ensuite une nouvelle fois le contour de l'animal sur les autres couches de papier avant de continuer votre découpage. Si le dernier carré est trop petit pour reproduire un dessin, coupez-le tout simplement.

4. Pour terminer, prenez la perforatrice. Percez les yeux des poissons et faites deux orifices de part et d'autre des ailes des papillons.

Modèles à décalquer

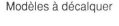

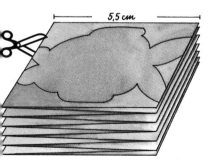

Matériel
- une bandelette de papier
  à dessin rouge (70 x 4 cm)
- une règle
- un crayon
- des ciseaux dentelés
- des ciseaux à ongles
- des restants de papier à dessin
- de la colle

Dragon cracheur de feu

Ce dragon cracheur de feu a l'air terrifiant. Mais il est très simple à réaliser. Si vous organisez un petit goûter de carnaval, posez-le devant l'assiette de vos convives. Ils seront certainement surpris en apercevant cet animal fabuleux. Vous pouvez naturellement aussi le fixer au mur.

1. Pour confectionner le corps en pointe de votre dragon, mesurez le milieu de la largeur de l'une des extrémités de la bandelette. Puis, faites une marque à 12 cm de chaque côté de la bandelette.

A l'aide de votre règle, tracez une ligne entre ces deux points et le point du côté en hauteur. Voici le corps de votre dragon. Découpez-le en suivant bien les lignes que vous avez tracées.

2. Pour la gueule du dragon, prenez les ciseaux dentelés et faites une entaille de 1 cm de profondeur et de 3 cm de longueur de part et d'autre du côté droit de votre bandelette. Prenez des ciseaux ordinaires pour arrondir les côtés de la tête.

3. Maintenant vous devez découper les cornes du dragon. Incisez transversalement le papier en partant des deux marques que vous avez faites à 12 cm de l'extrémité de la bandelette. Les deux incisions doivent être réalisées légèrement de biais et rejoindre la gueule du dragon. Pour que les pointes s'enroulent légèrement, étirez-les à l'aide d'un crayon.

4. Pour les yeux, prenez des ciseaux à ongles pointus et faites deux fentes de chaque côté de la tête. Les deux petits triangles ainsi obtenus doivent être rabattus vers le haut.

5. Faites des franges de part et d'autre de la bandelette. Partez des marques qui se trouvent à 12 cm du bord et incisez transversalement le papier jusque sous les cornes. Ainsi le dos de votre dragon aura un aspect hérissé.

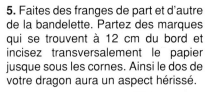

6. Prenez des restants de papier de couleur et découpez quelques bandelettes en forme de pointes. Vos bandelettes doivent être de différentes longueurs. Collez-les tout au bout de la gueule et étirez-les à l'aide d'un crayon. Des flammes s'échappent maintenant de la gueule de votre dragon.

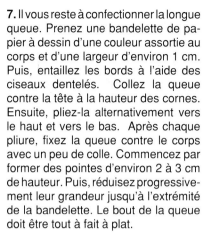

7. Il vous reste à confectionner la longue queue. Prenez une bandelette de papier à dessin d'une couleur assortie au corps et d'une largeur d'environ 1 cm. Puis, entaillez les bords à l'aide des ciseaux dentelés. Collez la queue contre la tête à la hauteur des cornes. Ensuite, pliez-la alternativement vers le haut et vers le bas. Après chaque pliure, fixez la queue contre le corps avec un peu de colle. Commencez par former des pointes d'environ 2 à 3 cm de hauteur. Puis, réduisez progressivement leur grandeur jusqu'à l'extrémité de la bandelette. Le bout de la queue doit être tout à fait à plat.

8. Pliez doucement le corps de votre dragon vers le haut et vers le bas. Cette forme ondulée lui donnera un air encore plus terrifiant. Pour que votre dragon se redresse, il suffit de coller deux grandes pointes ensemble. Plus elles sont éloignées l'une de l'autre, plus votre monstre se redressera.

P.S. Si vous ne possédez pas de ciseaux dentelés, muni d'un peu de patience vous réussirez à faire le zigzag avec des ciseaux ordinaires.

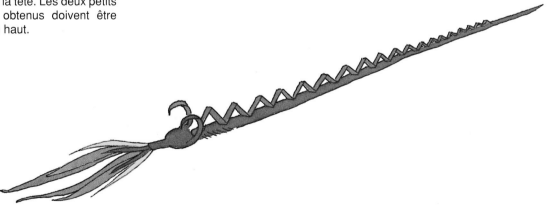

Masque-oiseau

Derrière ce masque en forme d'oiseau, vos amis auront certainement du mal à vous reconnaître. Ce petit accessoire peut être bricolé en un clin d'oeil car tous les matériaux nécessaires sont très ordinaires. Vous avez sûrement tout ce qu'il faut à portée de la main.

Hibou

1. Coupez un compartiment du carton à oeufs. Faites une incision en ligne droite à travers les parties en relief qui séparent chaque compartiment du carton.

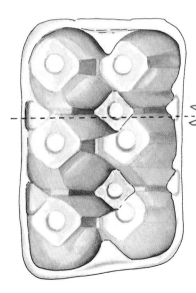

2. Réduisez les parties en relief à l'aide des ciseaux de manière à former un bec pointu entre les deux chapeaux. Arrondissez les bords de votre masque. Rabattez doucement le bec vers le côté opposé en suivant les lignes en pointillés.
Retournez le carton. Vous avez obtenu deux gros yeux de hibou et un bec.

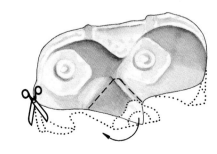

3. Découpez un grand cer[...] chaque oeil en carton. Ces orifi[...] permettront de voir à trave[...] masque.

4. Peignez toute la face [...] masque avec de la gouache. [...] sez différentes nuances de b[...] que le plumage du hibou ai[...] naturel. Une fois que la co[...] sèche, peignez le bec en noi[...]

5. Dessinez des petits traits n[...] de l'orifice des yeux. Les ligne[...] partir en rayon du bord inter[...] vers l'orifice. Ainsi votre hibou aura un regard très mystérieux.

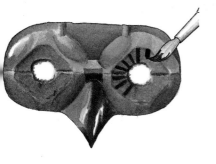

6. Une fois que tout est peint, vaporisez votre masque de laque pour bien fixer les couleurs.

7. Pour les petites oreilles, découpez 8 bandelettes dans vos restants de papier à dessin. A l'aide du crayon et de la règle, tracez 8 franges de 1 cm de large et de 5 cm de long. Découpez-les et incisez l'un des côtés de manière à former des franges bien fines. Collez 4 bandelettes incisées au-dessus de chaque oeil en veillant à les fixer contre le bord arrière du masque.

Oiseau de paradis

1. Pour réaliser l'oiseau, prenez l'autre partie du carton à oeufs, c'est-à-dire celle qui comporte 4 compartiments.

2. A l'aide des ciseaux, réduisez le bord inférieur du carton jusqu'à ce que la paroi qui sépare les deux compartiments inférieurs soit complètement éliminée. Veillez à ce que la partie en relief située entre les quatre compartiments reste intacte. Elle formera par la suite le bec de votre oiseau.

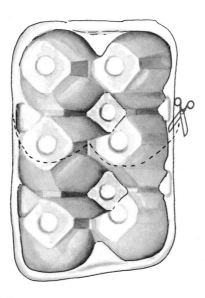

3. Tournez votre carton et faites deux orifices pour les yeux dans les deux compartiments supérieurs.

4. Puis, peignez l'intérieur de votre masque. Prenez, par exemple, du bleu ou différentes nuances de vert, pour les quatre compartiments à oeufs. Choisissez un ton vert pâle pour le bec et peignez la pointe en noir.

5. Il vous reste à peindre la face externe du masque. Choisissez une couleur qui tranche bien avec l'intérieur du masque. Le rouge convient très bien mais vous pouvez évidemment choisir d'autres tons qui vous plaisent. Pour terminer, vaporisez tout le masque de laque transparente.

6. Prenez un restant de papier crépon et pliez-le en forme d'éventail. Ensuite, collez-le derrière la face supérieure du masque.

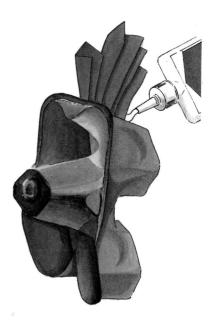

7. Il vous reste à passer un ruban élastique à travers le masque. Procédez de la même manière que pour le hibou.

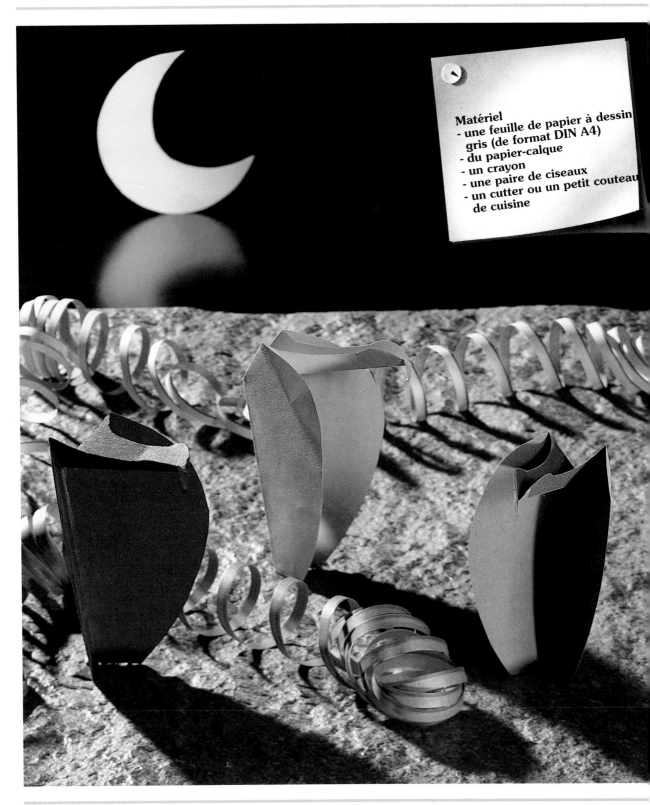

Matériel
- une feuille de papier à dessin gris (de format DIN A4)
- du papier-calque
- un crayon
- une paire de ciseaux
- un cutter ou un petit couteau de cuisine

Vautour

Pourquoi ne pas organiser une fête de carnaval sur le thème des rapaces? Inscrivez le nom de chacun de vos invités sur l'un de ces vautours et utilisez-les en guise de cartons de table.

1. Décalquez le vautour sur le papier à dessin selon le modèle qui se trouve à la page 220 du catalogue. Reproduisez également les lignes en pointillés. Elles vous serviront de repère au moment de plier votre papier. Ensuite, découpez le rapace.

2. Pliez-le en deux dans le sens de la longueur. Les lignes en pointillés doivent se trouver à l'extérieur. Marquez bien le pli avec un ongle. Dépliez le vautour et retournez-le de manière à ce que les lignes en pointillés soient au-dessus.

3. A l'aide du couteau, incisez légèrement les lignes en pointillés qui se trouvent de part et d'autre de la queue et du cou du vautour. Ainsi vous aurez plus de facilité au moment de plier votre papier.

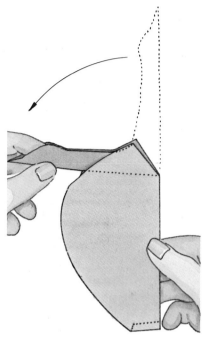

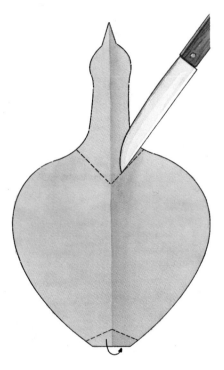

4. Pliez à nouveau le vautour en deux dans le sens de la longueur. Rabattez le papier vers le haut en suivant les lignes en pointillés situées de part et d'autre de la queue. Votre vautour a maintenant une base bien stable et ne risque pas de basculer lorsque vous le poserez sur la table.

5. Prenez-le, plié, dans la main droite et tirez le cou vers le bas à l'aide des doigts de l'autre main. Il doit être perpendiculaire aux ailes. Le papier va se rabattre de lui-même à l'endroit où vous avez entaillé la ligne en pointillés. A la hauteur du cou, la ligne médiane pliera vers le bas. Aplatissez bien tous les plis avec votre ongle.

6. La pointe de la tête va devenir le bec crochu. Recourbez-la vers le bas en suivant les lignes en pointillés. Marquez bien ce pli et recourbez encore un peu plus l'extrémité de la pointe du bec. Et maintenant attention ! Votre vautour est prêt à l'attaque.

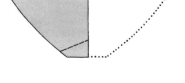

Matériel
- une feuille de papier à dessin gris (de format DIN A4)
- des restants de papier à dessin noir
- du papier-calque
- un crayon
- des ciseaux
- une règle
- de la colle
- un cutter ou un petit couteau de cuisine

Chauve-souris

Si à l'occasion d'une soirée de carnaval vous voulez créer une atmosphère vraiment lugubre, suspendez quelques-unes de ces chauves-souris au plafond. Assemblez-en plusieurs à l'aide d'un fil et laissez-les planer à travers la pièce. Vos amis se croiront dans un vieux château hanté.

1. Décalquez le contour de la chauve-souris sur le papier à dessin gris d'après le modèle qui se trouve à la page 217 du catalogue. Prenez du papier-calque et reproduisez le corps et les deux petites parties internes des oreilles sur du papier à dessin noir. Puis, découpez tous ces éléments.

2. Collez les deux petites parties internes à l'intérieur des oreilles de la chauve-souris. Ceci vous permet également de distinguer la face avant de la face arrière de l'animal.

3. Pour que les ailes de la chauve-souris aient l'air très délicates et aériennes, voici comment procéder. Placez tour à tour votre règle entre les deux pointes supérieures a et entre les quatre pointes inférieures b des ailes. Puis, glissez doucement la pointe du couteau le long de la règle en partant du point a jusqu'au point b. Ainsi votre papier est légèrement entaillé et ce sera nettement plus facile au moment de le plier.

4. Pliez tour à tour les ailes vers l'arrière en suivant les quatre lignes entaillées. Aplatissez bien chaque pli avec un doigt. Ouvrez à nouveau votre papier.

5. Retournez la chauve-souris. A l'aide de la règle et du couteau, entaillez légèrement deux autres lignes entre le point a et le point c.

6. Rabattez les deux moitiés de l'aile vers la face avant en suivant ces deux dernières lignes. Marquez bien les plis. Si vous avez suivi attentivement toutes les étapes du travail, les ailes vont se mouvoir alternativement d'avant en arrière.

7. Le petit corps mince de votre chauve-souris a un côté arrondi et un côté pointu. Rabattez le côté arrondi vers l'avant en suivant la ligne en pointillés. Voici la tête de la chauve-souris.

8. Etendez un peu de colle sous la ligne en pointillés et pressez la tête contre la naissance des oreilles.

9. Collez le petit corps noir sur la grande chauve-souris grise. Veillez à ce que la pointe du corps noir soit à environ 1 cm de distance de la pointe inférieure du corps gris. De cette manière, la partie noire du corps va légèrement se bomber et votre chauve-souris aura plus de volume.

A l'aide d'une aiguille, faites un orifice en bordure de chacune des ailes. Passez un fil au travers et suspendez le petit animal nocturne au plafond.

Serpentin

Enroulez ces serpentins multicolore
autour de vos assiettes et de vos ver
res. Mettez-en à profusion. Et que la
fête commence...

Matériel
- du papier à dessin
  de différentes couleurs
  (format DIN A4)
- un crayon
- un cutter
  ou un petit couteau de cuisine

- des ciseaux
- de la colle
- des crayons-feutres

1. Tracez le contour du serpent au crayon sur une feuille de papier à dessin. Le corps du serpent doit avoir 2 à 3 cm de large et être très entortillé. Veillez à ce que la tête soit bien arrondie et à ce que le bout de la queue soit plus étroit que le reste du corps. Le corps du serpent ne peut pas s'entrecroiser sur le papier, sinon il tombera en miettes au moment où vous le découperez. Inspirez-vous des dessins ci-dessous.

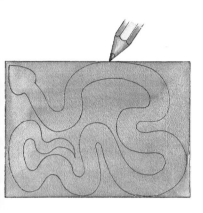

2. Maintenant, tracez une fine ligne au crayon au milieu du corps de votre serpent. Voici son "épine dorsale". A l'aide du couteau, entaillez légèrement le papier en suivant cette ligne. Ainsi il sera plus facile de plier le papier.

3. Découpez votre serpent.

4. Prenez un autre morceau de papier à dessin ou du papier d'une autre couleur et découpez une petite langue fourchue. Collez-la sous la tête. Avec un crayon-feutre noir, dessinez deux yeux en fente de part et d'autre de la tête.

5. En suivant la ligne entaillée (située au-dessus du corps), pressez légèrement les deux parties du corps du serpent ensemble. Votre serpent aura plus de volume et restera bien stable au moment où vous le poserez sur la table.

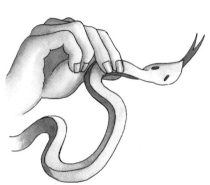

Modèles pour décalquer le serpent

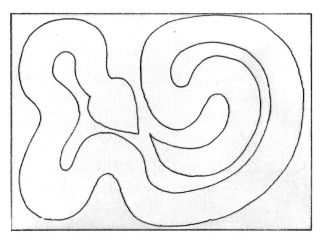

Masques décoratifs

Matériel
- une feuille de papier à dessin (DIN A3)
- du papier-calque
- un crayon
- un cutter
  ou un petit couteau de cuisine
- des ciseaux

Ces masques angulaires sont très faciles à réaliser. Il suffit d'une feuille de papier à dessin et d'un peu d'adresse pour couper et plier votre papier. Le grand masque est repris sur la grande feuille du catalogue des modèles. C'est ce masque-là qui vous est suggeré ici.

Le petit en est une variante. En vous inspirant de la photo ci-dessus, vous pouvez naturellement créer toutes sortes de masques dont les expressions seront chaque fois différentes.

1. Commencez par décalquer le masque sur le papier à dessin selon le modèle de la grande feuille du catalogue. Veillez à bien reproduire tous les traits et en particulier, ceux qui sont en pointillés.

. Découpez le masque et entaillez
ous les traits continus à l'aide du
outeau ou des ciseaux. Les lignes qui
ont en pointillés doivent simplement
tre légèrement incisées. Ainsi, votre
apier sera plus facile à plier.

. Pliez le masque en deux le long de la
édiane de façon à ce que les lignes en
ointillés soient à l'extérieur. Ensuite,
abattez le nez vers la droite, puis vers
a gauche. De cette manière, il sera
ien proéminent.

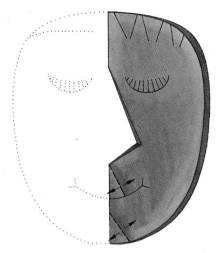

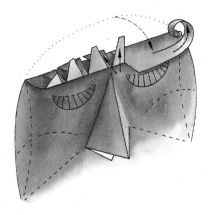

7. Pliez les cils vers le haut. Puis, rabattez les parties latérales des joues vers
l'arrière.

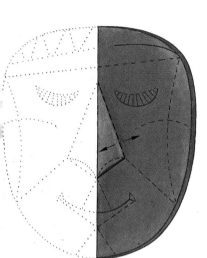

5. Ouvrez à nouveau votre masque et
pliez les deux ailes du nez légèrement
vers le haut. Les petits triangles qui se
trouvent près des commissures des
lèvres doivent être rabattus vers
l'extérieur. Puis, pliez les deux parties
de la lèvre inférieure vers le bas.

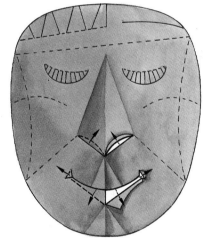

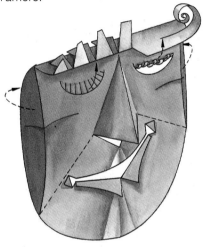

8. Enfoncez légèrement toute la partie
qui entoure la bouche. Pour cela, pliez
le papier le long de chacune des lignes
transversales qui partent des ailes du
nez. Marquez bien ces deux plis.

. Pliez le masque dans l'autre sens. Le
ez va glisser de lui-même vers
intérieur. Rabattez les deux triangles
ui se trouvent au-dessus et en-des-
ous de la bouche vers la droite, puis
ers la gauche. Procédez de la même
anière que pour le nez. Ces parties
eront légèrement incurvées par rap-
ort au reste du masque.

6. Pliez le haut du masque vers l'avant
en suivant la ligne horizontale qui tra-
verse la partie supérieure de la tête.
Les triangles situés dans la moitié
gauche du masque doivent ensuite être
alternativement pliés vers le haut et
vers l'arrière. Enroulez légèrement la
bandelette qui se trouve à droite du
masque afin de former une boucle.
Pour cela, étirez-la doucement à l'aide
de la partie tranchante de vos ciseaux.

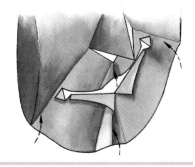

Un bon petit diable

Matériel
- une feuille carrée de papier pliant ou de papier métallisé (choisissez un format compris entre 20 x 20 cm et 30 x 30 cm)
- des ciseaux
- un restant de papier de couleur
- de la colle

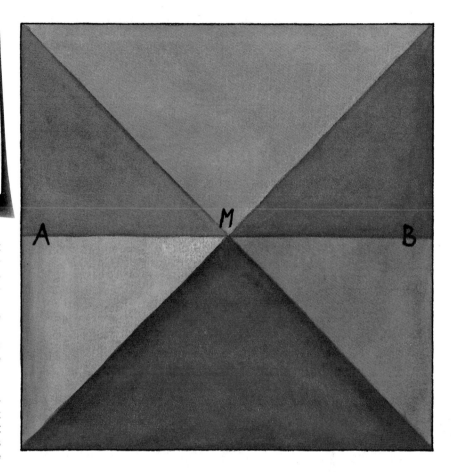

A première vue ce petit diable peut vous sembler un peu compliqué à réaliser. Mais si vous suivez bien toutes les étapes du travail, vous y arriverez sûrement sans peine.

Ces petits monstres peuvent être accrochés au mur ou posés sur la table. Et pourquoi ne pas réaliser tout un mobile de têtes de diables à suspendre au plafond ?

1. Pliez votre feuille en diagonale, c'est-à-dire angle sur angle. Vous obtiendrez ainsi un triangle. Ouvrez votre papier et pliez les deux autres angles opposés l'un sur l'autre. Dépliez à nouveau le tout.

2. Retournez votre feuille de manière à ce que le centre s'écarte légèrement de la table. Ensuite, pliez la feuille en deux. Si maintenant vous ouvrez à nouveau votre papier, vous constaterez que vous avez obtenu trois plis qui se croisent (regardez le dessin ci-contre). Cette forme de base est utilisée pour un grand nombre de travaux de pliage. A titre d'exemple, voyez l'hirondelle de la page 130. Les premières étapes du travail sont identiques à celles du diable.

3. Appuyez sur les points A et B avec vos deux majeurs et glissez-les légèrement l'un vers l'autre. Le point central va se soulever. Une fois que les points A et B sont l'un contre l'autre, posez le triangle à plat sur la table. Aplatissez bien toute la surface du papier.

4. Pliez les deux pointes inférieures du triangle qui se trouve tout au-dessus vers le haut. Elles doivent être contre la ligne médiane et coïncider avec le point. Vous devez obtenir un carré posé sur sa pointe et divisé en deux parties.

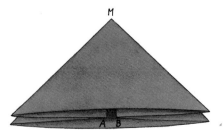

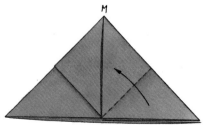

5. Pliez chacune des ailes latérales de ce carré vers la ligne médiane. Regardez les lignes en pointillés du dessin. Elles vous montrent comment plier le papier. Maintenant vous avez obtenu une sorte de petit sachet. Marquez bien tous les plis et ouvrez à nouveau le sachet.

Puis, pressez les bords de l'aile l'un contre l'autre et rabattez-les jusqu'à la ligne médiane. La petite pointe que vous avez ainsi obtenue doit être verticale par rapport au papier.

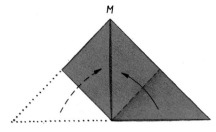

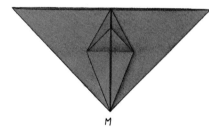

11. Ramenez les deux ailes latérales du carré vers la ligne médiane de manière à former un petit sachet.

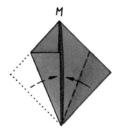

6. Retournez votre pliage de manière à ce que la pointe M soit en-dessous. Pliez à nouveau les deux ailes supérieures vers la médiane de façon à former un autre petit sachet. Les lignes en pointillés du dessin vous montrent comment plier le papier. Une fois que vous avez bien aplati tous les plis avec votre ongle, ouvrez à nouveau le sachet.

8. Procédez de la même manière avec l'aile droite du carré. Les deux pointes verticales obtenues doivent ensuite être rabattues vers le haut. Ensuite, vous devez bien les aplatir.

12. Marquez bien les plis. Puis, ouvrez à nouveau le sachet. Tournez votre pliage sur votre surface de travail de façon à ce que le pointe M soit en dessous (ne retournez pas complètement votre travail !).

13. Rabattez les pointes inférieures vers la ligne médiane. Vous avez maintenant obtenu un sachet dont l'ouverture se trouve au-dessus. Une fois que vous avez bien aplati tous les plis, ouvrez le sachet.

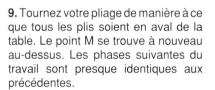

9. Tournez votre pliage de manière à ce que tous les plis soient en aval de la table. Le point M se trouve à nouveau au-dessus. Les phases suivantes du travail sont presque identiques aux précédentes.

10. Pliez les pointes inférieures du triangle vers le haut jusqu'à ce qu'elles soient contre le point M. Vous avez à nouveau obtenu un carré posé sur sa pointe et divisé en deux parties.

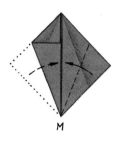

7. Posez l'index de votre main gauche sur la pointe de l'aile gauche du carré et glissez en même temps le pouce et le majeur de la même main sous le carré.

14. Pressez la pointe de l'aile gauche contre les pliures qui s'entrecoupent. Puis, rabattez les bords de l'aile vers la ligne médiane. La pointe de l'aile est perpendiculaire au papier. Faites la même chose avec l'aile droite.

16. Soulevez votre pliage en le tenant par les deux pointes des ailes que vous avez redressées en dernier lieu. Puis, soufflez bien fort dans la cavité de votre pliage. Votre bouche doit être contre la partie incisée. Le papier va se gonfler. La tête du petit diable va s'arrondir et les longues cornes vont se dresser.

17. Tournez votre diable de façon à ce que la cavité soit à l'arrière de la tête. Le point M constitue la pointe du nez de votre figurine. Rabattez les deux languettes pointues situées sous le nez vers l'extérieur. Voici la langue fourchue de votre petit diable.

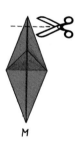

15. Rabattez les deux pointes vers le haut et aplatissez-les. Maintenant votre pliage est identique à celui que vous montre le dessin ci-dessous. Prenez vos ciseaux et coupez un petit morceau de la pointe supérieure.

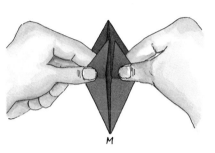

18. Découpez deux yeux dans du papier à dessin d'une autre couleur et collez-les de part et d'autre de la tête du diable.

Bricolages de Pâques

La fête de Pâques est une fête merveilleuse.
Située au printemps, elle symbolise
le renouveau.
A cette époque, en effet, les journées
deviennent plus longues, les premières
fleurs parsèment les prairies.
Cette atmosphère se reflète dans
les bricolages que nous vous proposons.
Beaucoup d'entre eux sont très faciles
et vous les réaliserez très rapidement.
Alors pourquoi ne pas aider les cloches
qui ont tant à faire en créant
vous aussi de jolies décorations
ou de superbes cadeaux?

Prairie printanière

Cette prairie de printemps imprimée fera une très jolie décoration murale pour la période pascale. Et même sans grand talent de dessinateur, chacun d'entre vous pourra facilement utiliser les tampons de carton qu'il aura confectionnés lui-même.

1. Découpez tout d'abord le tampon à imprimer dans le morceau de carton. Tenez le carton dans le sens de la longueur et, à l'aide de la règle et du crayon, divisez-le en deux parties égales (3 x 17 cm). Veillez à effectuer une découpe bien droite. Mettez l'une des bandes de côté, elle servira à réaliser les hautes herbes. Dans l'autre morceau, découpez une bande de 7 cm de long pour les herbes courtes.

2. Sur le morceau restant, décalquez les contours de trois formes de feuilles différentes que vous trouverez à la page 223 du catalogue des modèles.

Découpez-les. Pliez les petites tiges vers le haut en suivant les pointillés. Ces tiges vous permettront de bien maintenir les feuilles lors de l'impression.

3. Pour imprimer les herbes, enduisez de gouache verte le bord d'un long côté des deux bandes de carton et pressez-le sur le papier. Si vous n'enduisez pas les bords de peinture à chaque fois, vous verrez apparaître des herbes plus claires. Ce sera encore plus joli si vous préparez des mélanges de plusieurs teintes de vert et si vous donnez l'impression que les herbes ondulent avec le vent.

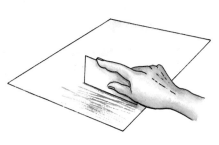

4. Enduisez de gouache verte la surface des feuilles droites et des feuilles courbées et imprimez-les en les rattachant aux herbes. Veillez à varier leur hauteur et leur inclinaison.

5. Imprimez les petites fleurs multicolores en forme de cercle avec la petite feuille. Vous déterminerez leur grandeur par le nombre de feuilles que vous assemblerez.

6. Le bord rond du rouleau de papier ménage vous permettra de réaliser les fleurs à grande corolle. Commencez par la partie centrale de la fleur et disposez ensuite les autres cercles

autour du premier. Vous pouvez très peu espacer les cercles ou au contraire les écarter et, naturellement, les imprimer en couleurs différentes. Cette technique vous permet de laisser libre cours à votre fantaisie.

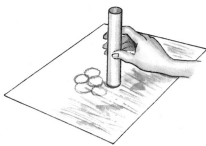

7. Une fois le dessin terminé et bien sec, déposez-le sur la feuille de papier à dessin verte en laissant au-dessus et des deux côtés un bord de la même largeur. Pour la partie inférieure, ce bord devrait être environ trois fois plus large que pour les autres côtés. Pour faire coïncider ces proportions, vous pouvez aussi couper un peu le papier sur le côté.

8. Quand le dessin est bien placé, tracez-en le périmètre au crayon et mettez-le de côté.

9. A l'intérieur de ce cadre au crayon (à environ un centimètre du bord), tracez un second cadre à l'aide d'une règle et d'un crayon. Effacez ensuite le premier cadre.

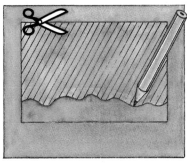

10. Au-dessus du trait inférieur, tracez une ligne ondulée entre les deux traits latéraux du cadre au crayon. Cette ligne devrait monter et descendre à une distance d'environ 3 à 5 cm de la ligne droite inférieure. Découpez ensuite la partie intérieure (celle qui est hachurée sur le modèle) jusqu'à hauteur de la ligne ondulée. Le cadre est presque prêt !

11. A l'aide des ciseaux, découpez le papier à dessin en franges serrées, en partant toujours de la ligne ondulée vers la ligne droite. Quand l'herbe est prête, passez la main sur les pointes pour les incliner dans différentes directions.

12. Pour terminer, encollez le cadre de papier vert sur la face intérieure des trois lignes droites. N'encollez pas la partie inférieure au niveau des brins d'herbe mais un peu plus bas que la ligne au crayon. Collez ensuite le dessin dans le cadre, le côté coloré vers le bas. Quand vous retournez le tout, les bandes de papier à dessin se trouvent devant la prairie.

Lapin avec corbeille

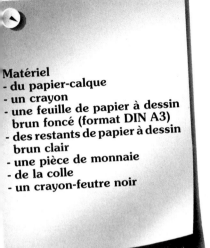

Matériel
- du papier-calque
- un crayon
- une feuille de papier à dessin brun foncé (format DIN A3)
- des restants de papier à dessin brun clair
- une pièce de monnaie
- de la colle
- un crayon-feutre noir

Ce lapin est un peu particulier. Il cache derrière son dos une petite corbeille dans laquelle se trouvent toutes sortes de surprises...

1. A l'aide du papier-calque et d'un crayon, reproduisez sur le papier brun foncé les contours du lapin qui se trouve sur la grande feuille du catalogue des modèles. Reportez tous les traits pleins, ainsi que les lignes en pointillés. Ces dernières indiquent qu'il faudra par la suite plier le papier à cet endroit.

2. Découpez la forme du lapin en suivant le trait plein. Soyez particulièrement prudent pour les deux fentes du ventre.

3. Pour les yeux, reportez au crayon le contour d'une pièce de monnaie sur le papier brun clair et découpez le cercle obtenu. Pliez ce cercle en deux moitiés et découpez-le au niveau du pli. Collez ensuite ces deux demi-cercles, de manière à ce que la ligne droite soit en bas : ce seront les yeux du lapin.

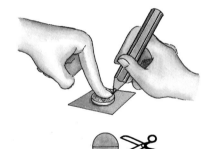

4. Dessinez les pupilles au feutre noir et, en dessous, dessinez aussi le museau et quelques poils de moustache. Vous pouvez aussi, au lieu de dessiner la moustache, découper de fines bandes de papier clair et les coller en guise de poils.

5. Retournez le lapin, de sorte que son visage repose sur la table. Pliez le papier vers le haut le long de toutes les lignes en pointillés.

6. Maintenant, redressez la corbeille. Les triangles, représentés en pointillés sur le dessin, doivent être collés sur le fond. Avant que la colle ne soit sèche, vérifiez que les pattes du lapin s'adaptent bien à la fente prévue pour elles. Pour ce faire, redressez le corps du lapin et faites glisser les deux pattes dans les fentes.

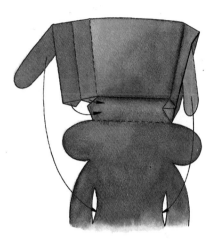

7. Pour que la corbeille ne se démonte pas lorsqu'elle sera pleine, passez un peu de colle au niveau des deux fentes dans le dos du lapin et pressez-y la corbeille jusqu'à ce qu'elle tienne bien. Vous pouvez maintenant y cacher des friandises ou d'autres petites surprises.

Oeufs en papier

Ces oeufs de papier sont très décoratifs, rapides à réaliser et faciles à combiner avec les colombes de la page 162 pour une décoration pascale. Veillez à ce que les couleurs des oiseaux et des oeufs s'harmonisent bien. Si vous êtes à court d'idées, inspirez-vous des modèles ci-dessus.

1. Reportez toutes les lignes des cinq modèles sur le papier transparent. Découpez les moitiés d'oeufs en suivant leur contour.

2. Pliez ensuite le morceau de papier à dessin de couleur en deux dans le sens de la longueur et apposez-y le modèle adéquat. Les côtés rectilignes du modèle doivent coïncider avec la pliure du papier de couleur. Attachez le tou avec deux trombones.

3. Servez-vous de la perforatrice pou découper les petits cercles. Le papie de couleur toujours plié en deux, découpez aux ciseaux toutes les formes à l'intérieur des oeufs et le contour de ceux-ci.

4. Dépliez les oeufs et aplatissez bien le pli du milieu, recourez au fer à repasser si nécessaire. Finalement, faites passer un fil au sommet des oeufs et suspendez-les au plafond ou dans un bouquet pascal devant la fenêtre. S vous le désirez, vous pouvez aussi coller du papier de soie blanc sur la face arrière des oeufs.

Modèles à décalquer

Coq sur un nid

Matériel
- un carton à oeufs
  (pouvant contenir six oeufs)
- des ciseaux
- de vieux journaux
- des gouaches
- des pinceaux
- du papier-calque
- un crayon
- un peu de papier à dessin rouge
  (environ 5 x 5 cm)
- un petit couteau de cuisine
- de la colle
- un peu de papier noir
- éventuellement
  une perforatrice
- des restants de papier pliant
  de différentes couleurs
- un peu de fibre de bois

Deux coqs très attentifs gardent ce nid
et ses surprises pascales. Mais, malgré
leur vigilance, la petite corbeille finira
bien par être vide ... Vous pourrez alors
vous en servir pour y déposer toutes
sortes de petites choses.

. A l'aide de ciseaux, enlevez le couvercle du carton à oeufs. Découpez le bord du côté avant jusqu'à hauteur des séparations entre les trois petits compartiments. Les deux "colonnes" qui dépassent serviront à la réalisation des coqs.

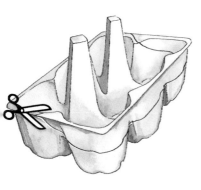

. Recouvrez votre surface de travail de vieux journaux et peignez le carton à la gouache. Choisissez un jaune orangé bien lumineux.

. Pendant que le carton sèche, préparez les autres éléments du bricolage. A l'aide du crayon et du papier-calque, reportez deux fois les deux modèles -la crête et le bec ainsi que les barbillons- sur le papier à dessin rouge et découpez-les.

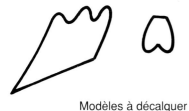

Modèles à décalquer

4. Pour les yeux, découpez quatre cercles de la même taille dans le papier noir. Si vous avez une perforatrice sous la main, vous pouvez aussi vous en servir.

5. Lorsque le carton est sec, découpez dans les deux colonnes une fente perpendiculaire d'une profondeur d'environ un centimètre. Les deux fentes doivent être orientées de façon à ce que les deux coqs soient légèrement tournés l'un vers l'autre.

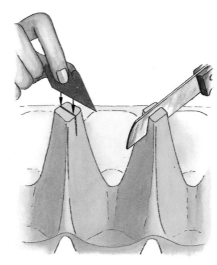

6. Placez maintenant la crête du coq et son bec dans l'encoche et collez les barbillons et les yeux.

7. Il manque encore à vos coqs une queue avec de belles plumes. Réalisez-les avec du papier de différentes couleurs que vous découperez en longues bandes d'environ 0,5 cm sur 14 cm.

8. Prenez 20 à 30 bandes et collez-les ensemble à l'une de leurs extrémités. Pour que les plumes soient joliment arquées, maintenez-les par la partie encollée et faites-les boucler au moyen d'un crayon.

9. Pour terminer, collez la houppe de plumes sur le corps du coq et déposez un peu de fibre de bois dans les petites cuvettes. Mettez-y aussi des oeufs multicolores ou cachez-y de petites surprises.

Matériel
- quelques oeufs crus dont la coquille aura été vidée
- du papier-calque
- un crayon
- un peu de papier à dessin rouge
- quelques allumettes
- du fil
- des ciseaux
- de la colle
- un crayon-feutre noir
- du papier pliant ou du papier à dessin de différentes teintes

Coq et poules

Ce petit monde de poules est bien amusant et fera une jolie décoration pour un bouquet pascal car les oeufs bougeront au moindre mouvement d'air. Lorsque l'on fait la cuisine avant les fêtes de Pâques, il est judicieux de ne pas casser toutes les coquilles d'oeufs comme on le fait habituellement mais de sortir quelques oeufs de leur coquille en les "soufflant" pour pouvoir ensuite les utiliser dans des travaux de bricolage. Vous pourrez aussi les employer pour le mobile de la page 75.

1. Pour sortir l'oeuf cru de sa coquille, prenez une fine aiguille à tricoter et transpercez-en l'oeuf dans le sens de la longueur. Soufflez ensuite dans l'un des trous jusqu'à ce que le contenu de l'oeuf sorte par l'autre trou. Finalement, rincez bien la coquille à l'eau et essuyez-la.

2. Décalquez sur le papier à dessin rouge les modèles (crête, barbillons et bec), une seule fois pour le coq et plusieurs fois pour les poules, en fonction du nombre de coquilles. Découpez toutes les formes le long des lignes qui marquent leur contour.

3. Avant de décorer les poules, élaborez la suspension de la coquille. Enlevez la tête d'une allumette et attachez un fil au milieu de l'autre partie. Pour plus de sécurité, renforcez le noeud d'une pointe de colle. Dès que la colle est sèche, faites tomber l'allumette à l'intérieur de l'oeuf. Tirez ensuite précautionneusement sur le fil de façon à ce que l'allumette reste en travers de l'ouverture et ne puisse plus sortir. La suspension est prête.

4. Découpez le bord inférieur de la crête du coq à l'endroit indiqué en vous arrêtant aux pointillés. En suivant ceux-ci, rabattez l'une des moitiés vers l'avant et l'autre vers l'arrière. Encollez ces rabats et apposez-les au sommet de l'oeuf.

5. Pliez le bec en suivant les pointillés et collez-le sur le devant de l'oeuf.

6. Pour les barbillons, procédez comme pour la crête : découpez-les à l'endroit indiqué et, en suivant les pointillés, rabattez une bande vers l'avant et l'autre vers l'arrière. Collez-les juste en-dessous du bec.

7. Dessinez les yeux au crayon-feutre noir.

8. Réalisez la queue du coq à partir de bandes de papier de diverses couleurs. Découpez des bandes de papier de 6 à 16 cm et collez-les ensemble à l'une de leurs extrémités. Pour qu'elles soient bien touffues, faites-les passer une à une sur un crayon ou sur la lame des ciseaux. Veillez à toujours partir du même côté. Collez ensuite la queue de l'autre côté de l'oeuf en veillant à ce que les plumes se recourbent vers le haut.

9. Pour confectionner les poules, commencez, comme pour le coq, avec l'allumette pour la suspension. Collez ensuite les petits becs, crêtes et barbillons. Dessinez aussi les yeux au crayon-feutre.

10. Les queues des poules ne doivent pas être aussi somptueuses que celle du coq. Cette fois, découpez seulement trois bandes très étroites d'environ 7 cm de long dans du papier à dessin jaune. Faites-les boucler et collez-les au bas de l'oeuf.
Dès que la colle est sèche, suspendez toute la petite basse-cour en l'arrangeant harmonieusement dans des branchages

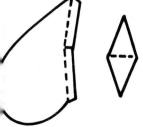

Modèles à décalquer pour les poules

Modèles à décalquer
pour le coq

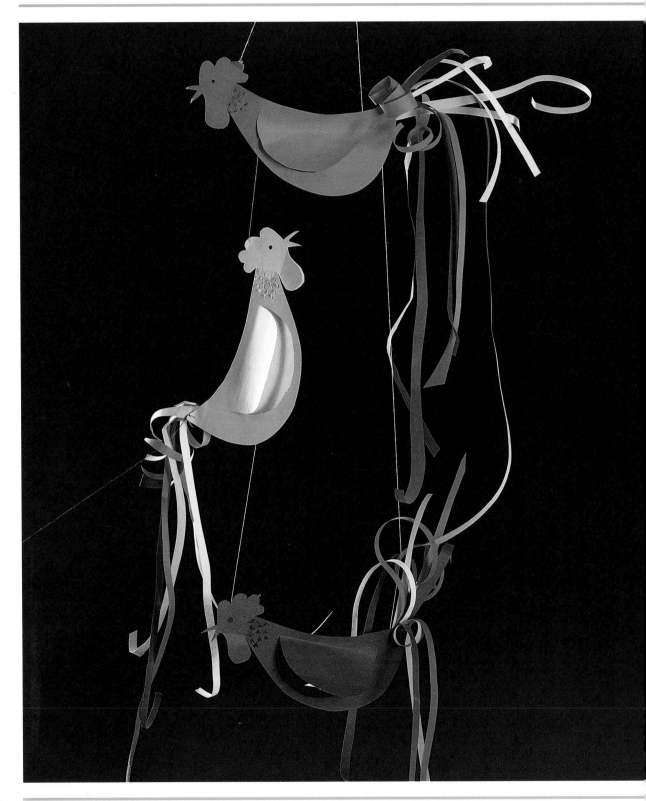

Coqs suspendus

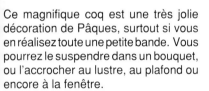

Matériel
- une feuille de papier à dessin rouge ou jaune (13 x 21 cm)
- du papier-calque
- un crayon
- des ciseaux
- un crayon-feutre noir
- un cutter ou un petit couteau de cuisine
- du carton fort pour le support
- des restants de papier à dessin de différentes teintes de jaune et de rouge
- une règle
- de la colle
- une aiguille et du fil

Ce magnifique coq est une très jolie décoration de Pâques, surtout si vous en réalisez toute une petite bande. Vous pourrez le suspendre dans un bouquet, ou l'accrocher au lustre, au plafond ou encore à la fenêtre.

1. Décalquez deux fois le coq de la page 224 du catalogue des modèles sur le papier à dessin. Découpez les deux formes en suivant bien les lignes.

2. Posez les deux parties l'une sur l'autre et dessinez les yeux au crayon-feutre noir. Vous avez ainsi défini les deux côtés extérieurs du coq. Les deux parties seront traitées séparément pour la suite du bricolage.

3. Placez les deux parties sur le support de carton fort et, à l'aide du couteau, incisez la courbe de l'aile et les plumes en pointe du cou. En partant de la face extérieure du coq, recourbez légèrement les ailes et les plumes du cou vers le haut de façon à leur donner un bel arrondi.

4. Recourbez aussi légèrement les deux barbillons vers le haut en suivant les pointillés.

5. Quand les deux moitiés du coq sont terminées, préparez de 10 à 14 bandes de papier à dessin pour la queue. Elles doivent être de différentes couleurs et de différentes longueurs (entre 10 et 50 cm) et d'une largeur d'un centimètre au maximum. Pour leur donner de belles boucles, faites-les doucement passer sur la lame des ciseaux. Finalement, collez toutes les bandes ensemble pour former une aigrette.

6. Avant d'assembler les deux moitiés du coq, collez la queue à l'extrémité de la face interne de l'une des parties. Ainsi, elle se trouvera entre les deux couches de papier une fois le bricolage terminé.

7. Maintenant, assemblez les deux moitiés du coq. Faites attention à ne pas encoller les ailes, les plumes du cou ou les barbillons afin que ces éléments puissent s'écarter du corps.

8. Dès que la colle est sèche, servez vous de l'aiguille pour faire passer un long fil à travers la crête et l'extrémité opposée du corps. Lorsque vous accrocherez le coq, vous pourrez ainsi lui donner une position horizontale ou le redresser pour qu'il chante fièrement.

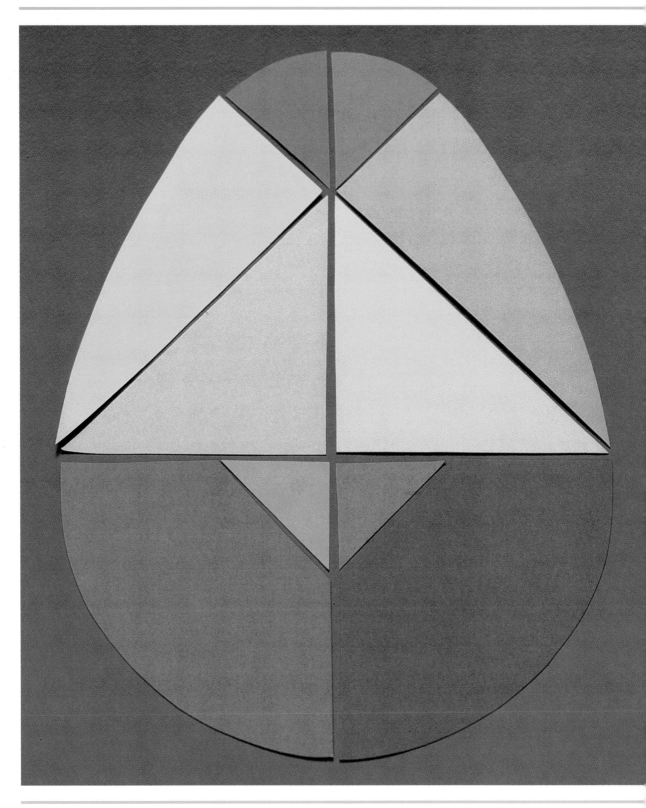

Casse-tête chinois

Matériel
- une petite feuille de carton pour photos (format DIN A5)
- du papier-calque
- un crayon
- des ciseaux

Le casse-tête est une sorte de puzzle qui nous vient de Chine. Les formes simples et nettes donnent l'impression qu'il est facile de venir à bout de ce jeu ... mais c'est une impression trompeuse! Vous verrez qu'une fois ses éléments découpés, ce casse-tête en forme d'oeuf n'est pas si facile à assembler.

1. Pour réaliser ce jeu, décalquez les formes de la page 218 du catalogue des modèles sur le carton pour photos. Si vous utilisez des restants de carton, décalquez chaque partie du casse-tête séparément. Lors du choix des couleurs, ne perdez pas de vue qu'un casse-tête multicolore sera plus difficile à résoudre qu'un casse-tête d'une seule couleur car les grands contrastes de couleur détournent souvent l'attention de la totalité de la forme à obtenir.

2. Découpez toutes les parties. Votre puzzle est prêt.

Lorsque vous serez passé maître dans la reconstitution de l'oeuf, vous pourrez naturellement aussi vous servir des pièces pour réaliser d'autres formes. Votre fantaisie ne connaîtra pas de limites. Il y a cependant une règle importante à respecter : toutes les pièces doivent être utilisées et elles ne peuvent jamais se chevaucher. Si vous aimez vous creuser la tête, essayez de reconstituer les oiseaux illustrés ci-dessous. Seules leurs silhouettes sont représentées afin de vous compliquer un peu la tâche ...

Exemples à réaliser

Arbre transparent

Matériel
- une feuille de papier cerf-volant brun transparent (30 x 40 cm)
- un crayon
- du papier-calque
- des ciseaux
- plusieurs feuilles de papier cerf-volant transparent en différentes teintes de vert et de jaune
- de la colle
- du papier collant transparent

A Pâques, l'été se fait encore un peu attendre. Mais accrochez ce magnifique arbre à la fenêtre et vous verrez que la plus belle saison de l'année arrivera plus tôt que prévu dans votre foyer! Il existe de nombreuses formes d'arbres : des petits et trapus, des conifères élancés, des feuillus majestueux et d'autres aux lourdes cimes. Pourquoi ne pas en réaliser toute une série et les suspendre à la vitre pour former une véritable forêt.

1. Si vous n'avez pas envie de dessiner vous-même les arbres, référez-vous à la grande feuille du catalogue des modèles et décalquez le tronc et les branches nues à l'aide du papier-calque clair sur le papier cerf-volant brun. Découpez ensuite soigneusement la forme obtenue.

2. Pour le feuillage, découpez dans les feuilles jaunes et vertes de papier cerf-volant une trentaine de formes irrégulières et arrondies qui doivent avoir environ la taille de la paume de votre main. Vous pouvez aussi simplement décalquer une dizaine de fois chacune des trois formes proposées sur du papier de différentes couleurs et les découper.

3. Répartissez ensuite tous les éléments du feuillage autour des branches à titre d'essai. Les couleurs et les formes doivent bien se mélanger et surtout se superposer pour que les couleurs forment un mélange optique donnant naissance à de nouvelles teintes de vert.

4. Lorsque la disposition du feuillage vous satisfait, collez tous les éléments. Si vous le désirez, vous pouvez encore donner une forme plus vivante au tronc en y collant du papier cerf-volant brun à certains endroits. Ce brun foncé créera alors une impression d'ombres.

5. Il ne reste plus qu'à fixer l'arbre à la fenêtre avec du papier collant transparent. Si vous en avez envie, vous pouvez encore disposer tout un décor autour de l'arbre - avec de l'herbe, des pommes, un écureuil ... ou d'autres choses.

Modèles à décalquer

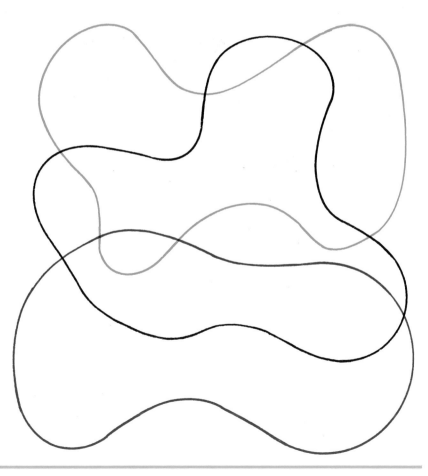

Oeufs en mobile

Matériel
- du papier-calque
- un crayon
- une feuille de carton mince
  (30 x 30 cm)
- de vieux journaux
- un cutter
  ou un petit couteau de cuisine
- des ciseaux
- des gouaches et du vernis
  incolore en spray
  (ou de la peinture laquée)
- des pinceaux
- trois coquilles d'oeufs crus
  vidées et peintes
- trois allumettes
- du fil et une aiguille

Ce mobile d'oeufs sera une décoration pascale du plus bel effet. La seule difficulté réside dans le découpage des modèles en silhouette décalqués sur le carton. Mais si vous avez un tant soit peu de patience, vous pourrez être fier du résultat.

1. Avec un crayon et du papier-calque, reportez sur le carton le patron de la grande feuille du catalogue des modèles avec toutes les lignes et les quatre points.

2. Commencez par réaliser le motif à l'intérieur du cercle. Recouvrez tout d'abord votre surface de travail d'une épaisse couche de vieux journaux en les posant bien à plat. Placez le carton au-dessus des journaux. Servez-vous du cutter ou du couteau de cuisine pour découper toutes les surfaces à éliminer, en suivant bien les lignes. Prenez garde à ne pas plier le carton. Lorsque tous les éléments qui doivent l'être sont découpés, rectifiez les irrégularités à l'aide des ciseaux.

3. Aux quatre points, transpercez le cercle avec une aiguille à repriser pointue. C'est là qu'une fois peints vous accrocherez les oeufs et par là que vous suspendrez le mobile. Découpez ensuite le cercle extérieur avec les ciseaux.

4. Maintenant que le découpage du mobile est terminé, peignez-le à la gouache d'une seule couleur. Pour que la peinture soit bien uniforme, peignez d'abord entièrement un côté et attendez que celui-ci soit sec pour commencer l'autre. Lorsque le tout est sec, vaporisez les deux côtés avec du vernis transparent. Ceci va rendre la couleur plus vive. (Cette étape est inutile si vous avez employé une peinture laquée.)

5. Maintenant, suspendez les coquilles d'oeufs vides. Cassez la tête d'une allumette et accrochez un fil mince au milieu de l'autre partie. Faites alors tomber l'allumette dans un oeuf peint. Tirez doucement sur le fil : l'allumette reste en travers de l'oeuf et ne peut donc plus sortir. L'oeuf est ainsi pourvu de sa suspension. Procédez de la même façon pour les deux autres oeufs.

6. Pour attacher les oeufs à leur joli cadre, enfilez les fils qui sortent des oeufs et faites-les passer dans les trous prévus à cet effet dans le cadre. Nouez les fils après vous être assuré que les oeufs peuvent bouger librement dans le cadre. Pour terminer, faites passer un long morceau de fil dans le trou en haut du bord en carton pour suspendre le mobile.

Cadeaux pour toute la famille

Lors d'une invitation à une fête,
c'est un vrai plaisir d'apporter un cadeau
original à vos hôtes.
Si ce présent est réalisé de vos propres
mains, vos amis n'en seront que plus ravis.
Cela prouvera que vous leur avez consacré
du temps et que vous avez voulu leur faire
un cadeau tout à fait particulier.
Rien ne vous empêche, évidemment,
de bricoler l'un ou l'autre objet
pour votre propre plaisir.
Un tableau décoratif
ou un porte-crayons pour votre table
de travail feront toujours bel effet.

Poisson en papier crépon

Matériel
- du papier crépon bleu, violet, vert et blanc (choisissez trois nuances de bleu et deux nuances de violet)
- une règle
- des ciseaux
- sept soucoupes
- du papier-calque
- un crayon
- une feuille de papier à dessin bleu clair (de 19 x 16,5 cm)
- de la colle
- une feuille de papier à dessin bleu lavande (de 21 x 18,5 cm)

Rien de tel que le papier crépon pour réaliser en un tour de main ces tableaux aux couleurs chatoyantes. Ce poisson exotique fera aussi bien la joie des petits que des grands. Et pourquoi ne pas inventer d'autres motifs ? Un grand voilier, une fermette ou un arbre en fleurs, par exemple, sont tout aussi faciles à réaliser.

1. Découpez le papier crépon en bandelettes d'environ 3 cm de largeur. Si vos ciseaux sont bien aiguisés, coupez directement une bande de 3 cm de large de votre rouleau de papier crépon. Déchiquetez le papier en petits carrés et roulez ces morceaux entre vos doigts pour former des petites boules. Triez les petites boules de papier par couleur. Puis, rassemblez toutes les boules de même nuance dans une soucoupe différente. La quantité de petites boules à confectionner dépend de la grandeur et de la forme de votre motif ainsi que de l'espace que vous laisserez entre les boules au moment de les coller.

Votre motif peut avoir un aspect plus ou moins compact. Pour le poisson qui vous est suggéré ici, il vous faut environ 500 boules de papier. Veillez donc à découper un nombre suffisant de bandelettes.

2. Décalquez le contour du poisson d'après le modèle ci-dessous et reproduisez-le sur la feuille de papier à dessin bleu clair.

3. Encollez une petite partie de la tête du poisson et disposez vos boules de papier par-dessus. Le reflet de l'oeil du poisson va très bien ressortir sur le fond de papier bleu lavande.

4. Recouvrez le reste du corps du poisson de petites boules de papier au gré de votre fantaisie. Les écailles du poisson vont scintiller de tout leur éclat grâce aux différentes nuances de tons. Inspirez-vous de la photo de la page voisine pour juxtaposer les écailles. Veillez à ce que tous les contours du poisson tracés au crayon soient bien dissimulés par les boules en papier.

5. Quand votre poisson est terminé, collez-le sur la feuille de papier à dessin bleu lavande. Ce bord plus sombre forme l'encadrement de votre petit tableau. Il ne vous reste plus qu'à l'emballer dans un joli papier cadeau d'une couleur assortie.

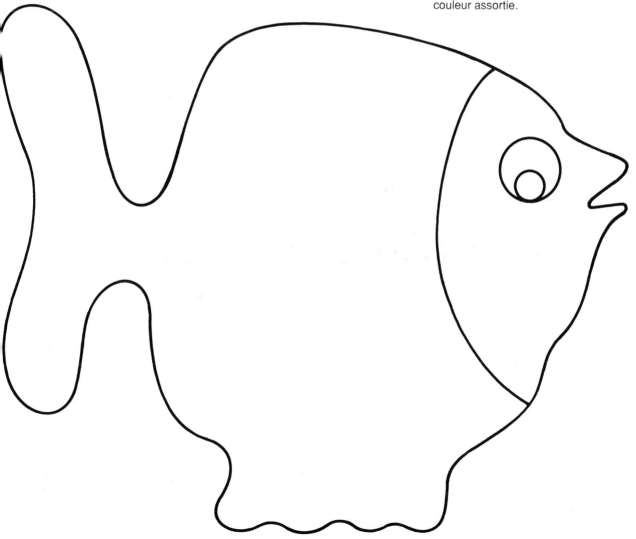

Fruits en papier mâché

Matériel
- de la colle à tapisserie
- un récipient avec un peu d'eau
- du vieux papier journal
  (le papier lisse des magazines illustrés ne convient pas)
- des gouaches
- un pinceau
- de la laque transparente en aérosol

Cette corbeille aux fruits savoureux est un cadeau idéal. Elle convient particulièrement pour égayer une table. Rien ne vous empêche, bien sûr, de confectionner d'autres sortes de fruits. Selon la saison, vous pouvez choisir des cerises, des prunes, des oranges, des citrons ou des ananas.

Une corbeille remplie de légumes est aussi très décorative. Garnissez-la, par exemple, de courgettes, de tomates et d'oignons.

Commencez par bien préparer votre surface de travail : il est important qu'elle résiste bien à l'humidité et qu'elle soit facile à nettoyer. Enfilez un tablier ou une vieille chemise pour protéger vos vêtements. Puis, préparez la colle à tapisserie selon le mode d'emploi qui se trouve sur l'emballage et laissez reposer cette pâte durant environ 3 minutes. Vous voilà prêt à confectionner les fruits.

²omme

. Déployez une double page de papier ournal sur votre surface de travail et, ₁vec vos doigts, enduisez-la entièrement d'une épaisse couche de colle. ²uis, froissez-la jusqu'à ce que vous ↱bteniez une grosse boule.

².. Enduisez de colle à tapisserie une ₁emi-page de papier journal et enroulez-₁ autour de la grosse boule.

₁.. Veillez à ce que l'un des coins du ↱apier journal n'adhère pas à la boule ₁t modelez-le en forme de tige avec ₁ne petite feuille.

₁.. Encollez le cadre vierge d'une feuille ₁e papier journal et déchiquetez-le. ₁ollez ces petits morceaux de papier ₁n mosaïque autour de la pomme ₁usqu'à ce que le journal imprimé soit ₁ntièrement recouvert. Ainsi votre fruit ₁era bien lisse et absorbera uni-↱ormément la couleur.

5. Laissez reposer la pomme pendant une journée avant de la peindre à la gouache. Commencez par la recouvrir entièrement d'une couche de base jaune. Une fois que celle-ci est sèche, appliquez quelques touches de rouge pour obtenir des nuances dégradées. Ceci donnera à la pomme un aspect très naturel. Peignez la tige en brun et la petite feuille en vert.

6. Une fois que les couleurs ont été bien absorbées par le papier et que tout est bien sec, vaporisez votre pomme de laque. L'enveloppe externe du fruit sera plus résistante et les gouaches ressortiront mieux.

Poire

1. Comme pour la pomme, formez une boule de papier mâché à partir d'une double page de papier journal. Puis, prenez une simple page de papier journal et façonnez une boule un peu plus petite.

2. Avec un peu de colle à tapisserie, pressez ces deux boules l'une contre l'autre. Encollez une page de papier journal et enroulez-la autour des deux boules pour qu'elles adhèrent l'une à

l'autre. L'un des coins de la feuille de papier journal doit rester libre pour être modelé en forme de tige. Prenez une paire de ciseaux et arrondissez légèrement la pointe de la tige. Vous pouvez aussi réaliser la tige séparément. Dans ce cas, incisez la pointe de la poire et fixez la tige dans cette fente avec un peu de colle à tapisserie.

3. Recouvrez la poire de petits morceaux de papier journal vierge et laissez-la sécher durant une journée. Ainsi l'enveloppe du fruit sera bien lisse et absorbera uniformément la peinture.

4. Pour peindre la poire, choisissez différentes nuances de jaune et du vert pâle. La tige doit être brune. Une fois que tout est sec, vaporisez le fruit de laque transparente.

Banane

1. Encollez une double page de papier journal et façonnez-la en boudin. Arrondissez légèrement les extrémités.

2. Encollez une simple page de papier journal et enroulez-la autour de la banane pour éviter qu'elle ne se déforme. Arrondissez les extrémités du fruit et modelez l'un des deux bouts en forme de pointe.

3. Recouvrez à nouveau le fruit de petits morceaux de papier journal vierge et laissez-le sécher durant un jour. Puis, peignez la banane en jaune et brun et vaporisez-la de laque transparente.

Tableaux stylisés

Ces tableaux stylisés sont de ravissantes décorations murales. Ils peuvent aussi servir de cartes de voeux. Dans ce cas, il suffit de réduire légèrement leur format. Les motifs stylisés que nous vous proposons ici, peuvent naturellement faire l'objet de variantes. Choisissez cependant de préférence des formes géométriques aux lignes droites, car elles sont plus faciles à réaliser.

Triangle éclaté

1. A l'aide de la règle et du crayon, tracez le contour d'un triangle sur le papier à dessin et découpez-le.

Matériel
- deux feuilles de papier à dessin de couleurs différentes et deux feuilles assorties aux premières (choisissez un format entre DIN A6 et DIN A4)
- une règle
- un crayon
- des ciseaux
- de la colle
- du papier-calque

. Pour déterminer la grandeur de l'arère-plan de votre tableau, posez le iangle sur une feuille de papier à dessin 'une couleur qui tranche bien avec otre motif. Puis, réduisez la feuille isqu'à ce qu'il reste au moins 4 cm ntre chaque angle du triangle et le ord du papier. Retirez la feuille et angez-la momentanément.

. Mieux vaut ne pas découper directeent votre triangle. Commencez par acer au crayon des lignes droites sur verso. Votre graphique doit être ngulaire. Si vous tracez des courbes, us risquez de ne pas obtenir l'effet ésiré au moment de faire "éclater" le iangle. Toutes les lignes doivent être ontiguës ou former un angle avec l'un es côtés du triangle.

. Découpez le triangle en morceaux n suivant les lignes tracées au crayon. isposez au fur et à mesure chaque artie découpée sur une feuille de papier dessin plus claire. Tous les éléments oivent s'assembler comme les pièces un puzzle, sinon vous ne pourrez pas econstituer le triangle. Veillez à ce que s lignes tracées au crayon soient en essous.

6. Une fois satisfait du graphique obtenu, collez chaque élément sur la feuille de papier à dessin qui vous sert d'arrière-plan.

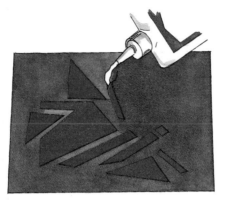

Tête de lion

1. Si vous ne vous sentez pas de taille à dessiner une tête de lion, prenez un peu de papier-calque et reproduisez le modèle ci-dessous sur une feuille de papier à dessin. Pour l'arrière-plan du tableau, choisissez une feuille légèrement plus grande d'une couleur assortie.

2. Découpez le cercle extérieur. Puis, découpez toutes les autres parties de la tête. Disposez à nouveau ces éléments l'un après l'autre et dans le bon ordre sur la feuille qui vous sert d'arrière-plan. Les lignes tracées au crayon doivent être en dessous.

3. Ecartez légèrement les différentes parties de la tête de votre lion. Puis, collez-les l'une après l'autre sur la feuille de papier à dessin que vous avez choisie comme arrière-plan.

. Maintenant, faites "éclater" votre trianle. Ecartez doucement les éléments que ous avez découpés et faites légèreent pivoter certains d'entre eux. Les fférents éléments peuvent être plus ou oins écartés. L'important est que la rme triangulaire de base reste reconaissable.

Modèle à décalquer

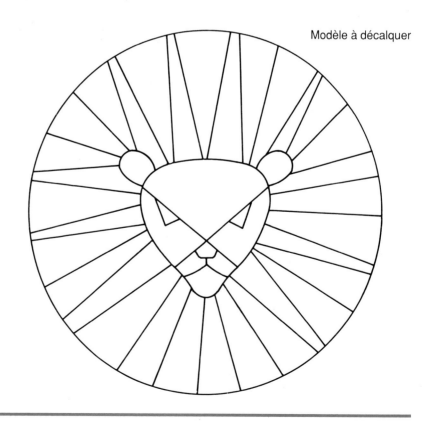

Cornet
à friandises

Matériel
- une feuille de papier à dessin bleu (d'environ 40 x 40 cm)
- du papier-calque
- un crayon
- une feuille de papier pliant vert (de 17 x 17 cm)
- une règle
- de la colle
- une bande de papier à dessin noir (de 11 x 25 cm)
- un crayon-feutre ou un crayon à dessin noir
- des restants de papier à dessin de couleur ou de papier pliant
- des pinces à linge
- une bande de papier crépon (de 25 x 60 cm)
- un peu de ruban pour emballage cadeau

Le premier jour d'école est toujours un grand événement. Pourquoi ne pas faire une surprise à votre petite soeur ou à votre petit frère en lui offrant ce cornet plein de délicieuses friandises le jour de sa première rentrée des classes ? Vous pouvez bien sûr décorer le cornet de nombreuses manières différentes.

1. Reproduisez le cornet sur le papier à dessin bleu selon le modèle de la grande feuille du catalogue des modèles. N'oubliez pas de reproduire également la ligne en pointillés. Découpez-le soigneusement et rangez-le.

2. Pour confectionner la petite prairie qui entoure le bas du cornet, prenez la feuille de papier pliant vert. Pliez-la en diagonale, c'est-à-dire angle sur angle. Puis, rabattez les deux pointes qui se trouvent du côté ouvert vers le côté opposé du triangle. Les deux pointes doivent coïncider avec le côté longitudinal du triangle.

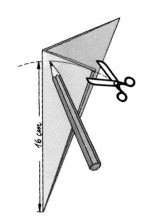

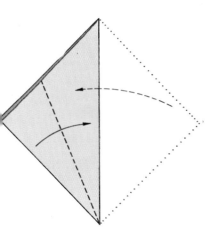

3. En partant de la pointe inférieure de la pliure que vous venez d'obtenir, mesurez 16 cm. A l'aide du crayon, reliez ce point aux deux coins supérieurs droits en formant une légère courbe. Tenez votre pliage de la main gauche et coupez la partie supérieure le long de la courbe tracée au crayon. (Si vous dépliez le papier à ce stade, vous obtiendrez un quart de cercle)

4. Découpez quelques pointes d'environ 2 à 3 cm de long dans le bord arrondi de la forme pliée. Voici la petite prairie du cornet.

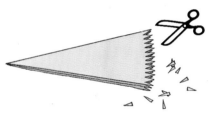

5. Dépliez le papier en veillant à bien le lisser. Encollez l'une des faces et fixez-la autour de la pointe inférieure du grand cornet bleu. Prolongez la ligne en pointillés jusqu'à la pointe inférieure du papier vert.

6. Pour les petits personnages, prenez la bande de papier noir. Mesurez 5 cm à partir de l'une des extrémités et pliez-la quatre fois de suite en accordéon en respectant toujours ce même espacement. Vous obtiendrez ainsi 5 couches de papier superposées.

7. A l'aide de papier-calque, reproduisez le petit couple qui se tient par la main sur la couche supérieure (le modèle du petit couple se trouve à la page 86). L'axe en pointillés de chacune des figurines doit coïncider avec les bords du papier plié en accordéon.

8. Découpez les personnages. Procédez très soigneusement car vous devez couper à travers toutes les couches de papier en même temps. Puis, aplatissez bien toute la ronde des figurines. Coupez le demi-homme et la demi-femme qui se trouvent aux extrémités de la ronde. Séparez les deux couples qui restent en coupant au milieu des poignées de mains.

9. Collez les deux couples sur la prairie en veillant à ce que les pieds externes soient distants d'au moins 1 à 2 cm des bords droit et gauche du cornet. Au milieu, les pieds des personnages doivent être presque l'un contre l'autre.

10. Avant de confectionner les ballons, dessinez les ficelles au crayon-feutre noir. Tracez des lignes courbes en partant des mains dressées de chaque couple.

11. Ensuite, découpez les ballons dans des restants de papier de couleur. Le nombre de ballons doit être égal au nombre de ficelles. Si nécessaire, inspirez-vous des modèles ci-contre. Collez les ballons au bout des ficelles en variant l'ordre des couleurs. Ainsi votre cornet sera d'autant plus attrayant.

12. Vous pouvez maintenant confectionner le grand cornet à partir de la forme de base. Etendez de la colle sur la bande étroite délimitée par la ligne en pointillés. Puis, rabattez le grand bord droit du cornet au-dessus cette bande. Pressez les parois du cornet ensemble jusqu'à ce que la colle soit bien sèche. Pour vous faciliter la tâche, fixez une pince à linge sur le bord supérieur.

13. Une fois que votre cornet tient bien, étendez une fine couche de colle sous le bord de la paroi interne. Puis, collez la bande de papier crépon à l'intérieur du cornet. Les deux extrémités du papier peuvent légèrement se chevaucher.

14. Pour terminer, nouez les extrémités de la bande de papier crépon ensemble avec un ruban d'emballage cadeau d'une couleur assortie. Mais avant cela, n'oubliez surtout pas de garnir le cornet de friandises!

Modèles à décalquer

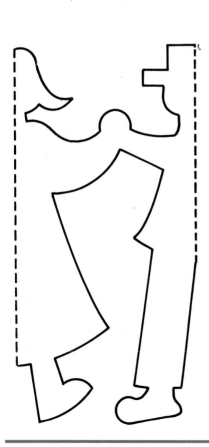

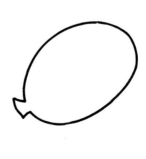

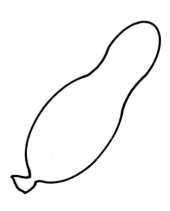

Paysage à collages

Matériel
- des pages en couleur de vieux journaux ou de magazines illustrés
- une feuille de papier à croquis blanc (de format DIN A3)
- de la colle

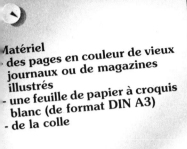

Un beau tableau de vacances est un souvenir que l'on aime conserver longuement. Grâce à la technique du collage vous pouvez l'immortaliser d'une manière originale.

1. Songez d'abord bien aux couleurs dont vous aurez besoin pour composer votre tableau. Puis, feuilletez vos magazines illustrés et découpez toutes les photos qui correspondent à votre paysage imaginaire. Déchiquetez-les en petits morceaux. La taille de vos bouts de papier peut varier entre 2 et 15 cm et tous peuvent être de formes différentes. Les publicités de grand format conviennent particulièrement bien pour ce type de réalisation. Vous y trouverez non seulement de belles plages de couleur, mais aussi de ravissants motifs : des grandes vagues, de jolies plantes vertes, des verres remplis d'eau pétillante, de savoureux mets, d'anciens remparts et bien d'autres choses encore. Tous ces éléments stimuleront sûrement votre créativité.

2. Triez vos petits bouts de papier par couleur. Cela vous fera gagner du temps pour la suite du travail.

3. Pour composer votre tableau, mieux vaut d'abord choisir les principaux composants du paysage, avant d'ajouter les éléments de détail. Si par exemple, vous souhaitez représenter un bord de mer, rassemblez d'abord des surfaces d'eau, des plages, des petits villages et quelques chaînes de montagnes pour l'arrière-plan. Jouez avec ces éléments jusqu'à ce que vous ayez obtenu l'agencement qui vous plaît. N'écartez pas trop les éléments les uns des autres sinon votre tableau n'aura plus de cadre.

4. Une fois que votre paysage est terminé, ajoutez les éléments de détail : des arbres, quelques maisonnettes, des ponts et des petits bateaux, par exemple. Pour obtenir les formes désirées, rien ne vous empêche de déchiqueter davantage vos morceaux de papier. Veillez cependant à toujours déchirer le papier car si vous le coupez, votre image risque de perdre son caractère homogène.

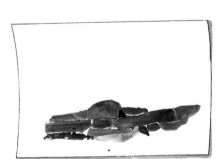

5. Collez tous ces éléments sur la feuille de papier blanc et voici votre paysage idyllique terminé.

Tableaux en batik de colle

Pour réaliser ce tableau, armez-vous d'un peu de patience. Entre les différentes étapes du travail, il y a parfois des temps d'arrêt assez longs. Mais vous serez sûrement très satisfait du résultat, car la technique du batik de colle permet d'improviser des structures tout à fait surprenantes. Inspirez-vous de l'arbre ci-dessus ou créez un autre motif dans des coloris de votre choix. La technique du batik de colle repose sur le principe suivant : une fois que la colle est sèche, elle est imperméable à l'eau. Avec la colle vous pouvez donc définir des espaces qui ne doivent plus absorber de couleur au moment où vous étendez une autre couche de gouache sur toute la surface du tableau. Commencez toujours par les couleurs les plus claires et terminez par les plus foncées. Tous les dessins sont faits à la colle. (Si vous travaillez sur tissu, vous obtiendrez un effet identique en utilisant de la cire ou de la teinture).

1. Avec la colle, dessinez trois oiseaux, quelques petits nuages et une petite colline sur la feuille blanche. Quand la colle est sèche, étendez une couche de gouache bleu clair sur toute la feuille. Attendez que tout soit bien sec. Les endroits encollés n'absorbent pas la couleur.

2. Puis, dessinez la lune à la colle. Ainsi elle ressortira en bleu clair sur le fond sombre du ciel. Une fois que la colle est dure, peignez toute la feuille en bleu gris et laissez-la sécher.

4. Dessinez à la colle un arbre noueux dont les branches dissimulent légèrement les nuages. Quand la colle a durci, étendez une couche de gouache bleu marine sur toute la feuille et laissez-la sécher.

s'éclaircir. Veillez à ne pas passer la feuille trop longtemps sous l'eau sinon elle se ramollira et les couches de colle se désagrégeront.

7. Rangez votre tableau jusqu'à ce qu'il soit bien sec. A l'aide d'un couteau de cuisine bien aiguisé, vous pouvez légèrement accentuer le contour des oiseaux. Pour cela, incisez prudemment la couche de colle de manière à ce qu'elle se détache.

8. Pour encadrer votre tableau, posez-le sur le verso de la feuille de papier à dessin bleu lavande et tracez le contour au crayon. Retirez le tableau et à l'aide de la règle, tracez un second cadre à l'intérieur du premier. Laissez un bord d'environ 1 cm entre les deux cadres. Puis, découpez le plus petit des deux.

9. Etendez de la colle sur tous les bords du cadre découpé et fixez votre tableau derrière cette fenêtre. Veillez à ce qu'il coïncide bien avec les bords du cadre.

3. Dessinez ensuite les nuages, car ils doivent être bleu gris. N'encollez pas les endroits où l'arbre recouvrira, par la suite, partiellement les nuages. Une fois que ceux-ci sont bien secs, peignez toute la surface de la feuille en gris foncé. Patientez à nouveau jusqu'à ce que la gouache soit bien sèche.

5. Pour que le ciel nocturne reste bleu marine, encollez-le entièrement. Dès que la colle s'est solidifiée, peignez le tout en noir.

6. Avant que la couleur ne soit entièrement sèche, passez rapidement votre tableau sous l'eau courante. Ainsi le surplus de couleur des parties encollées va disparaître et les parties qui ne sont pas couvertes de colle vont légèrement

10. Collez votre tableau encadré sur la feuille de papier à dessin noir. Et voici un cadeau du plus bel effet.

Matériel
- une feuille de papier à dessin brun (de format Din A3)
- du papier-calque clair
- un crayon
- des ciseaux
- de vieux journaux
- un cutter ou un couteau de cuisine bien aiguisé
- une règle

Hibou

Parmi vos amis, certains sont sûrement des collectionneurs de hiboux. Alors il n'y a pas à hésiter : voici un cadeau qui complètera à merveille leur collection. Pour fixer le hibou au mur il suffit de passer une ficelle de part et d'autre des oreilles ou d'utiliser un peu de papier collant à double face.

1. Décalquez le hibou sur le papier à dessin brun d'après le modèle de la grande feuille du catalogue. N'oubliez pas de reproduire toutes les lignes en pointillés. Puis, découpez le hibou en suivant bien le grand contour extérieur.

2. Faites plusieurs incisions dans les oreilles jusqu'à la ligne en petits points.

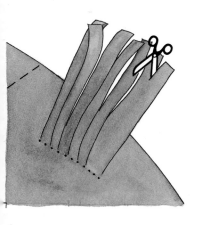

3. Comme vous allez devoir travailler au couteau, recouvrez votre surface de travail d'une couche de vieux journaux pour éviter de l'abîmer. Commencez par inciser légèrement les six lignes en pointillés de la tête du hibou. Ainsi vous aurez plus de facilité au moment de plier votre papier. Veillez à ne pas couper complètement le papier et incisez-le toujours en partant de l'intérieur vers l'extérieur. De cette façon, vous éviterez de le froisser ou de faire de faux plis.

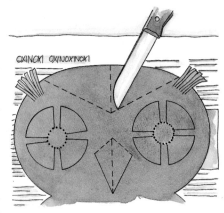

4. Les lignes en trait continu du bec et des yeux, doivent être tout à fait incisées. Prenez garde à ne pas découper complètement les quartiers qui entourent chaque oeil, sinon les pupilles tomberont. Veillez aussi à ne pas froisser le papier au moment de le couper.

5. Les quatre parties qui entourent chaque oeil peuvent maintenant être rabattues vers le haut. A l'aide des ciseaux, entaillez les huit quartiers des yeux. Partez toujours du bord extérieur vers le cercle intérieur en pointillés et fendez le papier en formant de petits rayons.(Vous pouvez aussi travailler au couteau. Dans ce cas, aidez-vous d'une règle et coupez toujours de l'intérieur vers l'extérieur. Sinon vous risquez de faire de faux plis).

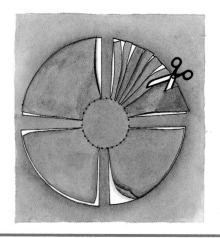

6. Pour le plumage en relief, prenez le couteau et la règle et découpez un grand nombre de pointes en forme de V dans le corps du hibou. Les pointes doivent être disposées en quinconce. Incisez toujours du haut vers le bas de la pointe pour ne pas abîmer le papier. Ce sera bien sûr plus facile si vous tracez préalablement toutes les pointes sur le corps du hibou.

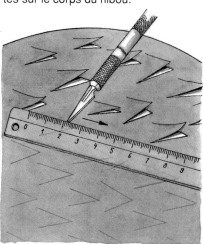

7. Retournez le hibou de sorte que les lignes décalquées ne soient plus visibles. Enfoncez légèrement le grand triangle de la partie supérieure de la tête. Puis, tirez sur le bec et pressez la pointe vers le bas.

8. Rabattez légèrement vers le haut les bandelettes en rayons qui entourent les yeux ainsi que les petites oreilles et toutes les plumes qui recouvrent le corps.

Un dragon pour l'automne

Ce cerf-volant amusera tout autant les grands que les petits. Si vous suivez bien toutes les phases du travail, vous serez enchanté du résultat final.

1. Pour commencer, confectionnez la croix en bois. Sciez une rainure tout autour de la grande planchette à 1 cm de chaque extrémité. Cette cannelure vous servira par la suite pour bien fixer la cordelette autour des planchettes. Puis, faites deux entailles de part et d'autre des extrémités de la petite planchette.

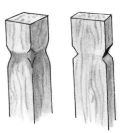

2. Mesurez 40 cm à partir de l'une des extrémités de la grande planchette et marquez cet endroit d'un point. Ensuite, mesurez le milieu de la petite planchette (vous devez donc faire une marque à 52,5 cm). Posez la grande planchette sur la petite de manière à ce que les points marqués au crayon soient exactement superposés. Vous obtiendrez ainsi quatre angles droits.

3. Avec un peu de cordelette, attachez les deux planchettes ensemble à l'endroit où elles se croisent. Auparavant, encollez légèrement cette partie pour donner plus de stabilité à votre croix.

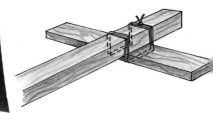

Matériel
- une planchette en bois (de 10 x 10 mm d'épaisseur et de 1,30 m de longueur)
- une planchette en bois (de 4 x 12 mm d'épaisseur et de 1,05 m de longueur)
- une petite scie ou un couteau
- un mètre ruban
- un crayon
- de la colle
- une cordelette (d'environ 1 mm d'épaisseur et de 3, 50 m de longueur)
- du papier cerf-volant ou du papier plastifié (un morceau de 120 x 150 cm)
- des ciseaux
- un petit anneau en métal (d'environ 15 mm de diamètre)
- une longue corde avec bobine
- de la ficelle pour emballage (environ 4,50 m)
- 25 feuilles de papier cerf-volant de différents tons (d'environ 25 x 25 cm)
- une perforatrice

4. Afin que vous puissiez bien fixer le papier, tendez la cordelette tout autour de la croix. Enroulez-la plusieurs fois autour des rainures de chaque extrémité des deux planchettes. Puis, nouez bien la cordelette en veillant à ne pas trop la tendre, sinon votre croix sera de travers.

5. Pour recouvrir votre petit échafaudage, prenez du papier cerf-volant ou plastifié. Posez votre croix sur le verso du papier de façon à ce que la petite planchette transversale soit en bas. Coupez le papier en laissant dépasser un bord de 4 cm de chaque côté de l'échafaudage. Encollez tous les bords de papier qui dépassent et rabattez-les autour de la cordelette. Maintenant votre papier est bien tendu autour de la croix. Si des petits bouts de papier dépassent encore aux coins des planchettes, coupez-les précautionneusement.

6. Une fois que tout est bien sec, attachez une cordelette supplémentaire aux extrémités de la planchette transversale. Elle doit être fixée à l'arrière du cerf-volant et tendue jusqu'à ce qu'elle n'ait plus que 90 cm de long. En même temps, la planchette va prendre une forme arquée et le cerf-volant va légèrement se bomber. Ainsi il s'élèvera plus facilement dans le ciel.

9. Il vous reste à confectionner la queue du cerf-volant. Prenez 20 feuilles carrées de papier cerf-volant de différents tons et pliez-les en accordéon en formant de petites bandelettes. Appuyez sur le milieu de chaque feuillet plié. Puis, nouez toutes les bandelettes à la ficelle. Veillez à ce qu'il y ait environ 17 cm entre chaque feuillet plié et à ce que les couleurs se succèdent harmonieusement.

10. Pour la houppette du bout de la queue, prenez les cinq carrés de papier cerf-volant qui vous restent. Pliez-les également en accordéon afin d'obtenir de petites bandelettes. A l'aide de la perforatrice, faites un orifice dans l'extrémité de chaque bandelette. Puis, faites passer la ficelle pour emballage à

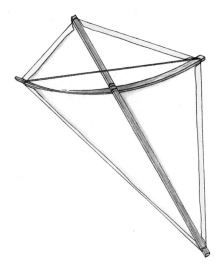

7. Fixez une ficelle d'environ 210 cm de long aux deux extrémités de la planchette longitudinale. La ficelle doit se trouver à l'avant du cerf-volant. Par la suite, elle sera reliée à la longue corde que vous tiendrez en main au moment de faire monter votre cerf-volant.

8. A environ 85 cm de la pointe supérieure du cerf-volant, formez une petite boucle avec la ficelle et faites-la passer à travers un anneau en métal. Rabattez la boucle de part et d'autre de l'anneau et tirez sur la ficelle. Maintenant, vous pouvez y attacher la corde qui vous sert à faire monter le cerf-volant.

travers les cinq bandelettes et nouez-la pour bien fixer la houppette. A vous maintenant de trouver l'endroit idéal pour laisser planer votre cerf-volant dans les airs. Des champs en friche ou de grandes prairies bien dégagées conviennent évidemment le mieux. Vous devez surtout éviter les rues, les rails, les câbles électriques et les aéroports. Il n'y a plus qu'à attendre que le vent se lève.

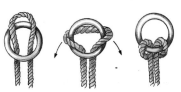

Portrait en noir et blanc

Matériel
- une chaise à dossier
- un projecteur pour diapositives ou une lampe à puissance lumineuse intense
- une feuille de papier
  silhouette (DIN A3) ou une
  feuille de papier à dessin noir
  et une feuille de papier pour
  croquis blanc
- de la colle
- du papier collant
- un crayon
- une paire de petits ciseaux
  pointus
- une feuille de papier à croquis
  blanc (de format DIN A3 ou
  DIN A2)

Ces portraits en noir et blanc ne manqueront pas d'impressionner vos amis
ou les membres de votre famille. Le
procédé que nous vous suggérons ici
est bien plus ancien que la photogra-
phie et permet de reproduire tout aussi
fidèlement toutes les caractéristiques
d'un profil.

1. Placez une chaise contre un mur ou
contre une armoire. La personne dont
vous voulez faire le portrait doit prendre
place sur la chaise de façon à ce que sa
tête soit le plus près possible du mur. Il
faut néanmoins qu'elle soit dans une
position confortable.

2. Placez, ensuite, le projecteur ou la
lampe juste en face de la personne
assise. Le faisceau lumineux doit être à
hauteur des yeux et éclairer toute la
tête. Ne placez pas le projecteur ou la
lampe en oblique sinon les ombres
seront déformées.

3. A l'aide de papier collant, fixez le
papier silhouette contre le mur afin que
le verso blanc soit face à vous. (Si vous
n'avez pas de papier silhouette à portée
de la main, collez simplement des
feuilles blanches pour croquis sur une
feuille de papier à dessin noir et fixez-la
contre le mur).
Lorsque vous collez la feuille, vérifiez
bien si toute la zone d'ombre de la tête
apparaît sur le papier. Si tel n'est pas le
cas, déplacez la feuille de gauche à
droite jusqu'à ce que toute la zone
d'ombre soit bien encadrée. Demandez à la personne assise de tourner
légèrement la tête en tous sens pour
vérifier si le visage se profile correctement sur le papier.

4. Tracez le contour de l'ombre au
crayon. Procédez très soigneusement
afin de bien reproduire toutes les par-
ticularités du profil. Ceci est très important pour que votre portrait soit le plus
fidèle possible. Pendant cette phase du
travail, votre modèle doit rester tout à
fait immobile. Pour les petits enfants,
ceci est parfois un peu difficile. Dans ce
cas, mieux vaut travailler à deux : pendant que l'un dessine, l'autre soutient la
tête de l'enfant.

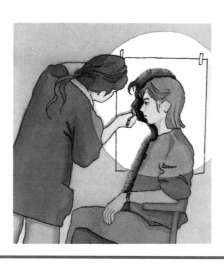

5. Une fois que vous avez tracé le
contour de l'ombre, détachez la feuille
du mur et découpez soigneusement
votre portrait à l'aide des petits ciseaux.

6. Pour terminer, encollez le verso blanc
du papier silhouette et collez la tête sur
une feuille de papier à croquis blanc.
En règle générale, il vous faut une
feuille de format DIN-A2 pour réaliser le
portrait d'un adulte, tandis que pour les
portraits d'enfants, une feuille de format DIN-A3 convient mieux.
Le profil de votre modèle va maintenant
bien se détacher du fond clair. (Si vous
avez envie d'encadrer votre portrait,
collez-le sur une feuille de papier à
dessin ou sur un carton pour photos
d'un format plus grand).

Porte-crayons

Rien de plus contrariant que des crayons de couleur et des stylos à bille éparpillés un peu partout, surtout quand on veut justement se mettre à l'ouvrage. Alors confectionnez vite ce joli porte-crayons, et fini le désordre! Les mesures pour le grand porte-crayons sont chaque fois indiquées entre parenthèses à côté des instructions à suivre pour confectionner le petit que nous vous proposons ici.

1. Pour le fond du porte-crayons, il vous faut deux cercles en carton de 7 cm de diamètre (21 cm). Réglez votre compas sur un rayon de 3,5 cm (10,5 cm). Tracez deux cercles et découpez-les.

2. Préparez les bandelettes verticales que vous devrez entrelacer par la suite. Tracez huit rectangles de 12 x 17 cm (48 x 50 cm) sur le papier journal ou sur le papier emballage. Mesurez un bord de 2 cm à partir du côté longitudinal du rectangle (8 cm). Pliez le papier en respectant toujours cette largeur jusqu'à ce que vous obteniez une bande de 12 cm de long (50 cm). Fixez le dernier bord rabattu avec un peu de colle.

4. Disposez les huit bandes en rayons sur l'un des cercles en carton. Les extrémités doivent déborder le contour du cercle d'environ 2 cm (6 cm) et légèrement se chevaucher. Fixez les bandelettes contre le cercle avec un peu de colle. Avant que tout ne soit sec, pliez les bandelettes à la verticale à hauteur de la circonférence du cercle. En principe, les bandelettes doivent former une haie bien serrée. Si elles ne sont pas assez rapprochées, vous pouvez encore un peu les déplacer tant que la colle n'est pas entièrement sèche.

5. Pour consolider le fond du porte-crayons, collez le second cercle en carton sur le premier. Les extrémités des bandes de papier sont ainsi dissimulées.

6. Pour le treillis horizontal, confectionnez quatre (cinq) bandelettes de papier assez épaisses. A l'aide de la règle et du crayon, dessinez cinq rectangles (quatre) sur du papier journal ou du papier emballage. Vos rectangles doivent avoir 12 cm de côté et 25 cm de long (48 x 80 cm).

7. Mesurez un bord de 2 cm (8 cm) à partir du côté longitudinal. Pliez le papier cinq fois de suite en respectant toujours cette largeur jusqu'à ce que vous obteniez une bande de 25 cm de long (80 cm). Cette bandelette d'une largeur de 2 cm (8 cm) est formée de 6

couches de papier. Fixez le dernier bord de papier avec un peu de colle. Procédez de la même manière avec les cinq (quatre) rectangles.

7. Collez les extrémités des bandes ensemble pour former des anneaux de même diamètre que les cercles en carton.

8. Commencez à tresser la corbeille. Comme tous vos anneaux sont déjà prêts, cette phase du travail sera très aisée. Tirez sur les bandes que vous avez collées autour du cercle et redressez-les à la verticale. Veillez cependant à ne prendre qu'une bande sur deux. Les quatre autres doivent rester à plat sur la table. Tenez bien les bandes redressées ensemble. Puis, glissez un anneau en papier au-dessus jusqu'à ce qu'il soit contre le fond en carton. Le premier tour de tressage est terminé.

9. Le second tour s'effectue quasiment de la même manière. Cette fois, redressez les quatre bandelettes que vous avez laissées à plat et inclinez légèrement vers l'extérieur les quatre autres. Glissez le deuxième anneau vers le bas jusqu'à ce qu'il soit contre le premier.

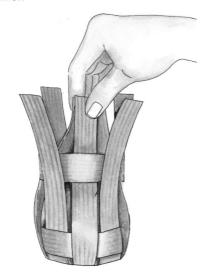

10. Pour le troisième tour, redressez à nouveau les premières bandelettes et continuez alternativement de la sorte.

11. Une fois que tous vos anneaux ont été "enfilés", les extrémités des bandelettes verticales vont légèrement dépasser le bord de la corbeille. Rabattez les quatre bouts qui débordent vers l'extérieur au-dessus du dernier anneau. Glissez-les derrière l'anneau contre la paroi interne du porte-crayons. Fixez chaque fois les extrémités des bandelettes avec un peu de colle.

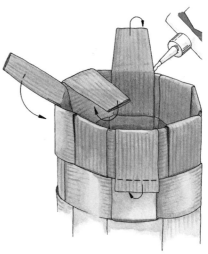

12. Maintenant, faites l'inverse avec les extrémités des quatre bandelettes qui dépassent vers l'intérieur. Rabattez les bouts par-dessus le bord externe du porte-crayons. Puis glissez-les derrière l'anneau qui se trouve tout au-dessus. Fixez-les également avec un peu de colle.

13. Choisissez l'une de vos couleurs préférées pour peindre le porte-crayons. Mieux vaut peindre aussi bien la paroi interne que la paroi externe. Et si vous choisissez deux tons qui se coordonnent bien, votre création aura d'autant plus d'allure.

Emballages cadeaux

Un bel emballage cadeau peut faire un effet
merveilleux. Dans le commerce,
vous trouverez bien sûr une grande variété
de papiers spécialement conçus
pour emballer des cadeaux et de petites
surprises. Mais vos amis apprécieront
sûrement davantage un papier
ou une ravissante boîte,
signés de votre propre "griffe".
De plus, pour réaliser la plupart
des bricolages que nous vous proposons ici
toutes les fantaisies sont permises.
Voici quelques procédés fort simples
pour imprimer vos papiers
d'une manière très originale.
Les travaux de pliage demandent
un peu plus de patience et d'habileté.
Mais n'ayez crainte! Les différentes phases
à suivre sont expliquées dans les moindres
détails et accompagnées d'illustrations
ou de graphiques. Ainsi vous obtiendrez
sûrement le résultat escompté
sans trop de difficultés.

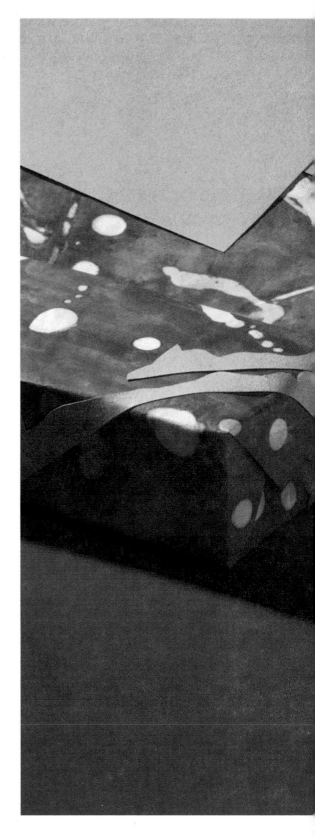

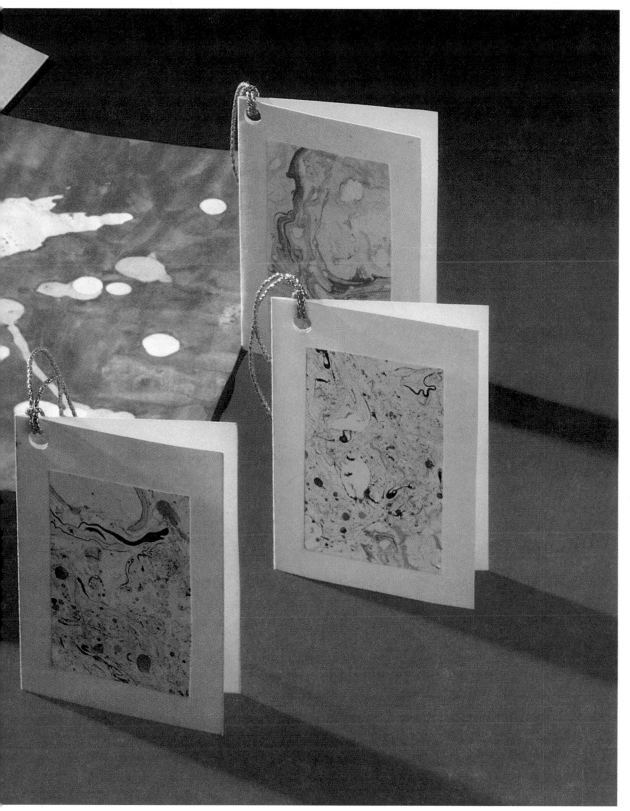

Matériel
- de vieux journaux
- du papier à croquis blanc
- des restants de papier peint
  en relief
- un pinceau
- un fer à repasser
- des ciseaux

Papier emballage cadeau imprim

Si vous voulez donner une touche très personnelle à un emballage cadeau, créez votre propre papier en l'imprimant vous-même. Voici un procédé qui ne manquera pas de réjouir les amateurs d'expériences. Regardez bien les papiers ci-dessus: ceux de gauche on été réalisés selon la technique du pliage et ceux de droite ont été décorés avec des restants de papier peint.

La technique du pliage

1. Commencez par recouvrir votre surface de travail de vieux journaux. Pliez une feuille de papier à croquis blanc en deux. Ouvrez à nouveau le papier et posez-le à plat sur la couche de journaux.

2. Trempez abondamment votre pinceau dans la gouache et peignez quelques grosses taches sur l'un des volets de la feuille. N'hésitez pas à associer plusieurs nuances qui se coordonnent bien. L'important est que la couleur soit suffisamment fluide, afin d'éviter qu'elle ne sèche trop vite.

3. Fermez rapidement la feuille et aplatissez-la avec la main. Passez plusieurs fois dessus afin que les couleurs se mélangent bien à l'intérieur du papier et qu'elles se répandent également sur l'autre volet.

4. Dépliez prudemment votre papier : vous avez obtenu un motif symétrique dont les couleurs se mélangent par endroits. Le résultat final dépend en grande partie du hasard et c'est cela qui rend cette technique particulièrement passionnante.

5. Etalez la feuille sur de vieux journaux et laissez-la bien sécher. Posez-la ensuite sur une couche de journaux bien propres en veillant à ce que la face colorée soit en dessous. Repassez le papier en réglant votre fer sur la position "laine". Si les bords de la feuille sont un peu moins réussis que le reste, coupez-les simplement.

La technique du papier peint

1. Ce procédé repose sur l'utilisation de papiers qui sont déjà imprimés. Prenez un restant de papier peint en relief et découpez une petite partie dont le motif saillant vous semble particulièrement original.

2. Peignez à la gouache le recto du morceau de papier peint en veillant à ne pas trop diluer la couleur. Les motifs en relief doivent être plus imbibés de couleur que le fond du papier. Ainsi vous obtiendrez des imprimés plus nets.

3. Posez doucement le papier peint sur une feuille de papier à croquis. La face colorée doit être en dessous. Lissez légèrement le papier avec le plat de la main.

4. Retirez lentement le papier en tirant sur l'un des coins. Comme la couleur n'est pas encore entièrement sèche, faites une seconde impression juste à côté de la première. Celle-ci sera légèrement plus pâle. Si vous souhaitez répéter l'opération, appliquez une nouvelle couche de gouache sur le papier peint, sinon vos motifs deviendront de plus en plus pâles.

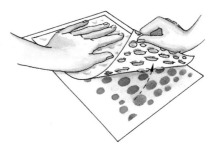

5. Après quelques couches de peinture et des impressions successives, votre papier risque de se ramollir. Dans ce cas, remplacez-le par un autre morceau, surtout si vous voulez peindre une grande surface. Attendez que la feuille soit sèche, puis repassez-la si nécessaire. Veillez simplement à ce que la face colorée soit en dessous et à ne pas trop chauffer votre fer.

La technique du marbre

Les papiers que vous avez imprimés vous-même peuvent également vous servir de petits cartons à accrocher aux cadeaux. Si vous les utilisez à cette fin, prévoyez cependant un cadre blanc suffisamment large.

La technique du faux marbre vous réservera bien des surprises. Tous les essais sont permis. Si vous disposez d'une assiette suffisamment grande, vous pourrez même imprimer des surfaces de papier assez importantes.

1. Comme la peinture laquée laisse des taches indélébiles, protégez votre surface de travail en la recouvrant de papier journal et ayez toujours de la térébenthine à portée de la main.

2. Préparez la colle spéciale pour bricolage dans votre assiette selon le mode d'emploi qui se trouve sur l'emballage. Laissez gonfler cette masse durant 3 à 4 minutes.

3. A l'aide d'un petit bâtonnet en bois, versez de la peinture laquée sur la colle en formant des tas de lignes fines. Pour donner plus de mouvement à votre motif, prenez une allumette ou un cure-dent et tracez des ondulations et des stries dans la couche de laque. Vous obtiendrez ainsi une structure marbrée qui ressemble à s'y méprendre à du vrai marbre.

Posez ensuite lentement un côté de euille de papier blanc sur cette struc- e. Faites attention à bien la mettre à t afin qu'aucune bulle d'air ne s'intro-se entre la feuille et votre mélange. tirez la feuille délicatement en pre-t d'abord un coin au moyen d'une ce à linge.

ous pouvez rincer la matière super-e qui a adhéré à la feuille en la ttant sous l'eau courante. N'ayez inte, la couleur ne s'effacera pas. chez la feuille en la mettant sur de ux journaux.

us pouvez recommencer la même ration pour d'autres créations. Elles ont à chaque fois différentes.

Emballage cadeau en batik de cire

Matériel
- quelques feuilles de vieux papier journal
- plusieurs feuilles de papier à croquis blanc
- une bougie blanche
- des allumettes
- des gouaches
- un pinceau assez épais
- un fer à repasser

Le batik de cire repose sur une techni-que assez élémentaire qui permet cependant d'obtenir de ravissants effets. Comme la cire n'absorbe pas la couleur, vous pouvez créer une grande variété de motifs. Chaque fois que vous étendez une nouvelle couche de cou-leur sur votre feuille, le papier devien-dra plus foncé. Les parties recouvertes de cire entre chaque nouvelle couche n'absorbent plus la couleur et seront donc toujours un peu plus pâles que le reste du papier. Comme il faut manier une bougie allumée et un fer à repas-ser, la plus grande prudence s'impose. A la page 88, nous vous avons déjà suggéré une autre technique de batik (le batik de colle).

1. Recouvrez votre surface de travail de feuilles de papier journal et posez quelques feuilles de papier blanc par-dessus.

2. Allumez votre bougie et faites couler des gouttelettes de cire sur le papier blanc. La cire doit être uniformément ré-partie. Ces parties-là resteront blanches.

3. Commencez à peindre la feuille. Prenez d'abord une couleur très lu-mineuse, du jaune, par exemple. Pen-dant que la première feuille sèche, vous pouvez déjà commencer à peindre un autre papier. N'hésitez pas à faire des essais avec différentes nuances.

4. Une fois que la première feuille est sèche, faites à nouveau couler des gouttelettes de cire sur le papier. Ces parties resteront jaunes. Puis, peignez la feuille en orange.

5. Quand tout est sec, faites couler une troisième fois de la cire sur le papier. Sous ces gouttelettes, la couleur restera orange. Puis peignez la feuille en rouge.

6. Posez votre feuille sur une couche de vieux journaux jusqu'à ce qu'elle soit bien sèche. Recouvrez votre batik de deux pages de papier journal et repas-sez-le en réglant votre fer sur la posi-tion "coton". La cire va fondre et sera absorbée par le papier journal. Ainsi vous avez confectionné un papier emballage cadeau à dominante rouge, moucheté de blanc, de jaune et d'orange. Si vous avez envie de tra-vailler avec d'autres tons, commencez toujours par la couleur la plus claire et terminez par la plus foncée. Choisissez des tons qui se coordonnent bien. Votre papier aura d'autant plus d'allure. Prenez, par exemple, du bleu clair, puis du bleu lavande et terminez par du bleu marine et du violet. Ou alors, partez du jaune pâle en passant par du vert clair et du vert olive. Puis, terminez par du bleu vert et du bleu marine, et ainsi de suite. Appliquez autant de couches de gouache que vous en avez envie.

Boîtes à cercles

Ces boîtes sont réalisées sans la moindre goutte de colle. Elles conviennent très bien pour y glisser une petite surprise que vous avez bricolée vous-même. Choisissez l'une des sortes de papiers que nous vous avons déjà proposées dans les pages précédentes ou achetez un peu de papier emballage cadeau. Il est très important d'effectuer soigneusement tous les pliages et de toujours bien marquer les plis avec un ongle.

1. Pour confectionner une boîte de 5 x 10 cm, il vous faut deux cercles de 20 cm de diamètre. Si vous utilisez une soucoupe, votre boîte sera légèrement plus petite. A l'aide du compas ou de la soucoupe, tracez deux cercles de même

dimension sur le papier et découpez les. L'un des cercles sera le fond de votre boîte et l'autre le couvercle. Tous deux sont réalisés de la même manière. Commencez par le fond.

2. Pliez le cercle en deux. Puis, ouvrez le papier. Pliez-le une seconde fois en deux afin que les extrémités du premier pli soient exactement superposées. Ouvrez le papier. Votre cercle a maintenant deux diamètres qui se croisent en angles droits. Retournez votre papier afin que la face imprimée soit en dessous.

Matériel
- une feuille de papier emballage cadeau (d'environ 20 x 40 cm ; prenez du papier assez lisse)
- un compas ou une soucoupe
- un crayon
- des ciseaux

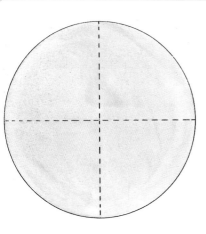

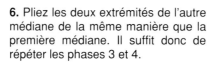

5. Ouvrez les quatre plis et tournez votre cercle à 90°.

6. Pliez les deux extrémités de l'autre médiane de la même manière que la première médiane. Il suffit donc de répéter les phases 3 et 4.

8. Pliez la partie inférieure du cercle jusqu'à hauteur de l'incision. La partie supérieure doit être pliée de la même manière vers le bas. Voici les parois latérales de votre boîte. Effectuez soigneusement tous les plis afin que les bords soient bien réguliers.

3. Rabattez le bord du cercle de façon à ce que l'extrémité de l'une des médianes soit exactement contre le centre.

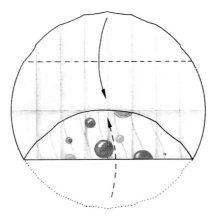

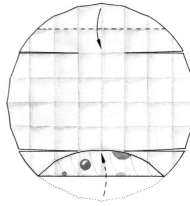

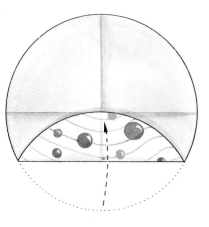

7. Votre cercle est maintenant divisé en tas de petits carrés. Coupez le long du deuxième pli de la moitié inférieure droite du cercle jusqu'au troisième pli vertical. Procédez de la même façon avec le deuxième pli de la moitié supérieure droite. Tournez le cercle à 180° et faites deux incisions identiques dans les deux quartiers opposés du cercle. Ceci vous permettra par la suite de rabattre les parois de la boîte vers le haut.

9. Redressez toutes les parois à la verticale en suivant les lignes incisées. Rabattez les quatre longues pointes vers l'intérieur en partant des extrémités des quatre incisions. Puis, redressez ces pointes de manière à ce qu'elles forment un angle droit avec le fond de la boîte. Les deux autres parties du cercle qui se trouvent encore de part et d'autre à plat sur la table doivent maintenant être rabattues au-dessus des pointes. Les parois sont ainsi bien maintenues ensemble et deux arcs de cercle se détachent sur le fond de la boîte.

4. Pliez une nouvelle fois ce bord vers la ligne médiane. Procédez de la même manière avec le côté opposé du cercle.

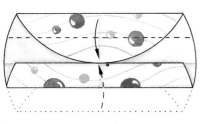

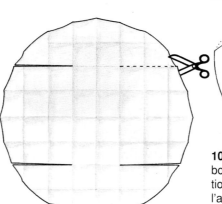

10. Maintenant que le fond de la petite boîte est terminé, il vous reste à confectionner le couvercle. Pour cela, prenez l'autre cercle et procédez exactement de la même manière.

Boîte à rabats

Remplissez cette ravissante boîte de chocolats ou d'autres sucreries. Et pourquoi ne pas choisir une recette dans un livre de cuisine pour préparer vous-même de délicieuses friandises ?

1. Décalquez la boîte à rabats d'après le modèle de la grande feuille du catalogue des modèles. Reproduisez tous les contours ainsi que les lignes en pointillés sur la face vierge de votre papier. Puis, découpez la boîte en suivant bien le grand contour extérieur.

2. Placez la règle le long de toutes les lignes en pointillés et incisez-les légèrement à l'aide du couteau. Cela vous facilitera la tâche au moment de plier le papier le long de ces traits.

Matériel
- une feuille de papier emballage cadeau assez robuste ou un restant de papier peint (de 45 x 26 cm)
- du papier-calque
- un crayon
- des ciseaux
- un cutter ou un petit couteau de cuisine
- une règle
- de la colle

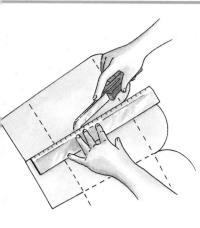

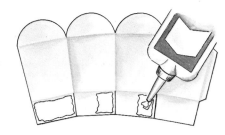

3. Rabattez les quatre formes arrondies et les quatre parties rectangulaires sur la face vierge du papier. Ces éléments constitueront le fond de la boîte. La fine languette située sur le côté doit être rabattue de la même manière. Marquez bien tous les plis avec un ongle. Puis, ouvrez à nouveau la feuille.

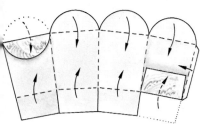

4. Pliez tour à tour les quatre parois de la boîte. Si nécessaire, redressez la boîte pour vous assurer que toutes les parties s'assemblent correctement. Dépliez à nouveau le papier.

5. Encollez les parties rectangulaires qui vont constituer le fond de la boîte. Regardez le dessin: le champ gauche doit être entièrement encollé tandis que les deux parties du milieu ne doivent être encollées qu'à moitié.

6. Assemblez les quatre parois de manière à obtenir la forme d'une boîte. Commencez par redresser les parois à la verticale. Les parties rectangulaires qui constituent le fond doivent rester à plat sur la table. Laissez la partie gauche en dessous. Glissez la suivante par-dessus et la troisième au-dessus de la seconde.

7. Une fois que la colle est sèche, encollez la face imprimée du dernier rectangle et pressez-la bien fort contre le fond de la boîte.

8. Quand tout est bien sec, fixez la languette contre la paroi interne voisine.

9. Pour terminer, rabattez tous les bords supérieurs de la boîte. Pliez un des rabats horizontalement vers le milieu de la boîte. Le second rabat doit être glissé au-dessus du premier.
Le troisième rabat doit, ensuite, être plié au-dessus du deuxième. Repliez le dernier demi-cercle au-dessus du troisième. Puis, glissez la moitié de ce demi-cercle sous le premier rabat.

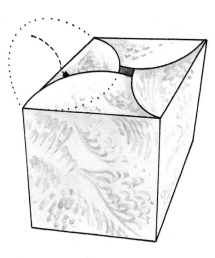

Maintenant tous les rabats tiennent bien ensemble sans la moindre colle et le couvercle de votre boîte peut être facilement ouvert et refermé.

Boîte triangulaire

Matériel
- une feuille de papier emballage cadeau assez robuste
  ou un restant de papier peint
  (de 25 x 30 cm)
- du papier-calque
- un crayon
- un cutter ou un petit couteau
  de cuisine
- une règle
- de la colle

Voici une boîte dont la forme est très
différente de celle de la page précédente. Le mode de fabrication est cependant assez semblable. La boîte peut
être plus petite ou plus grande. Il suffit
de raccourcir ou de prolonger en
conséquence toutes les lignes verticales du modèle, sans modifier les
formes triangulaires.

1. A l'aide de papier-calque et d'un
crayon, reproduisez la boîte triangulaire d'après le modèle de la grande
feuille du catalogue sur le recto vierge
du papier. Veillez à bien reproduire
toutes lignes en pointillés.

2. Placez votre règle le long de toutes
les lignes en pointillés. A l'aide du
couteau, incisez doucement le papier
le long de ces traits. Ainsi il sera plus
facile de plier votre papier.

3. Pour que la boîte puisse s'assembler facilement, pliez le papier le long de toutes les lignes en pointillés. La face imprimée des parties repliées est donc à l'extérieur.

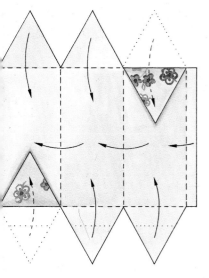

4. Ouvrez le papier et pliez les trois petits triangles délimités par les pointillés de sorte que la face vierge soit à l'extérieur. Puis, dépliez à nouveau le tout.

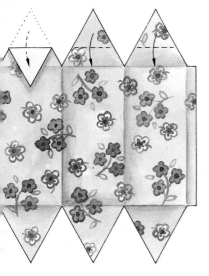

5. Pour assembler le fond de la boîte, encollez la face vierge de l'un des triangles externes. Collez ce triangle sur celui du milieu.

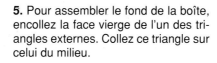

6. Rabattez le troisième triangle vers le haut et encollez le côté imprimé. Ensuite, pressez-le de l'intérieur contre les deux autres.

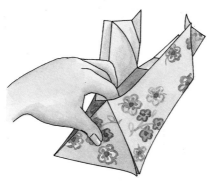

7. Encollez la face imprimée de la petite languette et glissez-la contre la paroi voisine. Introduisez votre règle dans la boîte et pressez-la contre la languette. Ainsi la languette va bien adhérer à la paroi.

8. Maintenant, fermez le haut de la boîte. Commencez par rabattre les petites pointes triangulaires vers l'extérieur. Ces parties doivent être emboîtées : pliez la première pointe vers le milieu et glissez la seconde par-dessus. La troisième pointe doit être rabattue sur la deuxième et glissée sous la première. Votre boîte est terminée et il n'y a plus qu'à la garnir de friandises ou à glisser une petite surprise à l'intérieur.

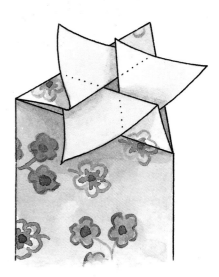

Boîte en fleur

Pour bricoler cette jolie boîte, il faut déjà bien maîtriser la technique du pliage. Pour obtenir une boîte dont le fond est de 7 x 7 cm, prenez une feuille carrée de 20 cm de côté. Vous pouvez naturellement confectionner des boîtes plus petites ou plus grandes. Utilisez plutôt du papier à recto imprimé et à verso en couleur unie. L'effet final sera d'autant plus réussi.

1. Posez la feuille carrée devant vous de sorte que la face imprimée soit en dessous. Pliez-la en diagonale, donc angle sur angle. Ouvrez le papier et pliez les deux autres côtés angle sur angle. Dépliez à nouveau la feuille : vous avez obtenu deux plis qui se croisent au centre du carré.

2. Pliez les quatre pointes vers le centre et marquez bien les plis avec un ongle. Ainsi la forme de la boîte sera plus aisée à façonner. Dépliez-les à nouveau.

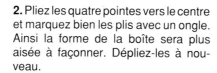

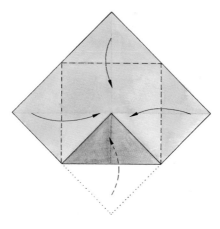

3. Maintenant, pliez l'une des pointes vers la pointe opposée jusqu'au dernier pli que vous venez de former. Dépliez à nouveau la pointe et procédez de la même manière avec les trois autres coins.

4. Tournez la feuille afin que la face imprimée soit au-dessus. Pliez le carré en deux pour obtenir un rectangle. Ouvrez la feuille et pliez-la en deux en sens inverse.

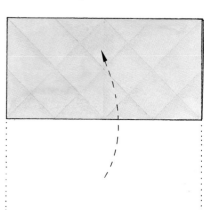

5. Rabattez ensuite le bord de chaque côté vers l'intérieur afin que les quatre côtés soient partagés en deux. Ouvrez le papier entre chaque pliure.

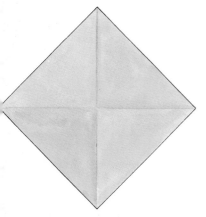

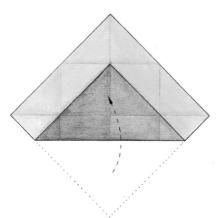

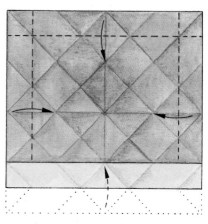

6. La phase préparatoire du travail est terminée. Vous avez obtenu un carré couvert d'un grillage de plis. Pour la suite des opérations, il est important que certaines lignes soient voûtées vers le haut et d'autres vers le bas.

Tournez à nouveau la feuille afin que le côté imprimé soit en-dessous et que l'un des angles soit juste en face de vous. Regardez le dessin : les parties a et d (qui sont un peu plus foncées) formeront les parois latérales et le couvercle. Le carré qui se trouve au centre de la feuille sera le fond de la boîte.

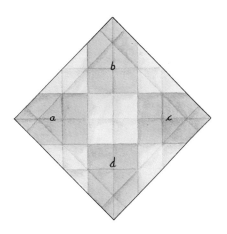

7. Redressez les parties a et b. Le triangle situé entre ces deux parties va se plier en deux et former une sorte de petite pochette. Encollez légèrement l'intérieur de la pochette et le côté droit de celle-ci. Puis, pressez-la de l'intérieur vers la droite contre la partie b.

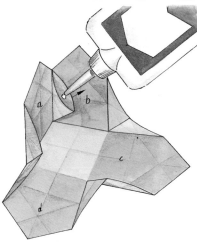

8. Dès que la colle est sèche (maintenez les parties ensemble à l'aide d'une pince à linge), tournez un peu la boîte et redressez la partie c. Une petite pochette va à nouveau apparaître entre les parties b et c. Pliez-la et collez-la comme la précédente, c'est-à-dire vers l'intérieur, puis vers la droite. La pochette sera donc fixée contre la paroi c. Une fois que les deux dernières parois latérales sont redressées et que les pochettes sont collées vers l'intérieur (en respectant toujours le même sens), chaque côté de la boîte va ressembler à une maison à pignon.

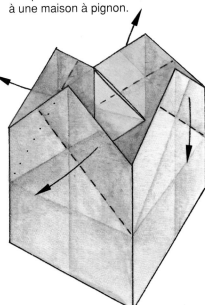

9. Rabattez successivement vers le bas le bord oblique de chacun des pignons. Suivez bien la trace de la pliure.

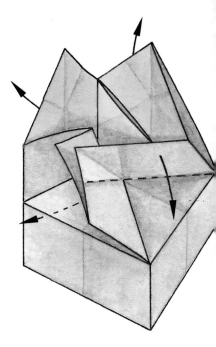

10. Une fois que les quatre bords sont rabattus, pliez tour à tour les parties supérieures des pignons vers le milieu de la boîte. Chaque fois que vous tournez un peu la boîte, la moitié droite du pignon va légèrement chevaucher la moitié gauche. Ainsi vous avez obtenu un couvercle en forme de fleur qui peut "éclore" et à nouveau se fermer.

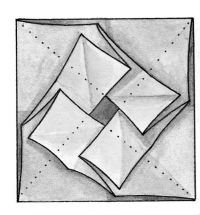

Matériel
- une feuille de papier emballage cadeau
- des ciseaux
- du papier collant transparent
- un crayon
- du ruban pour emballages cadeaux d'une couleur assortie
- de la colle

Paon majestueux

Voici un emballage cadeau particulièrement somptueux. Réservez-le pour les toutes grandes occasions. Ce magnifique paon au plumage chatoyant convient particulièrement pour emballer un beau livre ou un tableau.

Le paon peut aussi être réalisé séparément et fixé sur n'importe quel autre type d'emballage.

1. Commencez par emballer le cadeau de sorte que le papier dépasse d'un côté. Ce morceau doit être plié en deux (vous avez donc deux couches de papier superposées) et sa longueur doit être égale à celle du cadeau emballé. Coupez le papier afin d'obtenir la longueur souhaitée et fixez l'arrière de l'emballage cadeau avec un peu de papier collant. Lissez les deux couches de papier qui dépassent avec le plat de la main.

2. Ces deux couches vont former la queue en éventail du paon. Armez-vous d'un peu de patience car entre chaque pliage, le cadeau doit être retourné. En partant du côté ouvert du papier, pliez une bandelette d'environ 1,5 cm de large vers l'intérieur de la feuille. Retournez le cadeau et pliez une bandelette de même largeur contre la première. Continuez de la sorte jusqu'à ce que toute la bandelette soit pliée en accordéon. Le côté fermé du dernier pli doit être à l'extérieur et l'accordéon doit être bien tassé sous la dernière pliure. (Si le cadeau à emballer est très étroit ou très large, adaptez la largeur de la bandelette en conséquence).

3. Posez l'accordéon sur le bord du cadeau emballé. Appuyez l'index sur le milieu des bandelettes et recourbez les extrémités vers le haut avec les doigts de l'autre main. En même temps, assurez-vous que l'accordéon se plie exactement en son milieu. Lachez, ensuite, les extrémités et marquez le milieu de l'accordéon au crayon.

4. Avec un peu de papier collant transparent, fixez l'éventail sur le cadeau. Attachez-le en son milieu. Nouez un joli ruban autour du cadeau en le faisant passer par le milieu de l'éventail. Puis, nouez le ruban sous l'emballage et fixez-le au-dessus avec du papier collant transparent. Collez un petit morceau juste devant l'éventail.

5. Recourbez à nouveau les bandelettes vers le haut de manière à former un demi-cercle. Collez les deux parties de l'éventail. La tête du paon sera par suite glissée dans la fente qui sépare les deux parties de l'éventail.

6. Voici comment confectionner le corps du paon. Découpez un carré dans le même papier emballage cadeau. Les côtés du carré doivent être plus ou moins égaux à la moitié de la longueur du cadeau. Pliez le papier en diagonale. La face imprimée doit être en dessous. Ouvrez à nouveau le triangle que vous avez ainsi obtenu et pliez les côtés a et b jusqu'à la médiane. Les coins en angle droit vont se toucher.

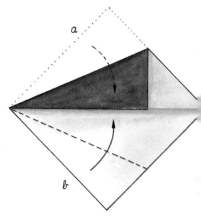

7. Pliez également les côtés opposés c et d vers la médiane.

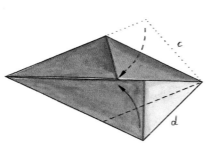

8. Faites pivoter la forme autour de son axe longitudinal de sorte que toutes les pliures soient en dessous. Pliez la pointe de droite vers la gauche en suivant bien la ligne en pointillés. La pointe sera ainsi contre l'intersection des côtés a et b.

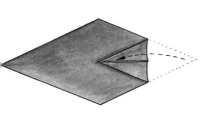

9. Rabattez la moitié supérieure du pliage vers le bas.

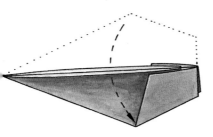

10. Ramenez la pointe gauche vers le haut à droite. Suivez la ligne en pointillés. Une fois que vous avez bien marqué ce pli, dépliez à nouveau la pointe.

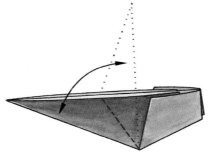

11. Ecartez votre forme de l'intérieur jusqu'à ce que vous puissiez plier la longue pointe gauche vers le haut le long du dernier pli que vous venez de marquer. Voici le cou du paon. La forme de base, c'est-à-dire la "carcasse" de l'oiseau doit maintenant être reconstituée.

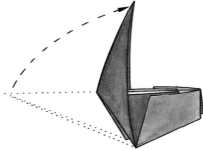

12. Pour la tête, pliez alternativement le bout de la pointe vers l'avant et vers l'arrière en suivant le pointillé du dessin.

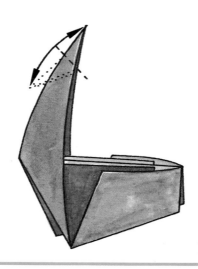

13. Ouvrez à nouveau le cou et pliez la petite pointe vers la gauche le long de la pliure que vous venez de former. La tête du paon est terminée.

14. Confectionnez séparément l'aigrette de l'oiseau. Pliez une petite feuille carrée en accordéon et collez-la en éventail derrière la tête du paon.

15. Glissez le corps de l'oiseau dans la fente de la grande queue en éventail. Orientez la tête du paon vers le cadeau et voici votre somptueux emballage terminé.

Joyeux anniversaire!

Fêter son anniversaire ou celui d'un ami est l'occasion rêvée pour confectionner toutes sortes d'objets.
Celui qui est invité à une fête trouvera ici des suggestions de cadeaux à offrir, tandis que l'hôte apprendra comment égayer joliment les pièces de sa maison.
Une fête d'anniversaire peut aussi s'accompagner de jeux et de petits spectacles.
Dès que vous entamerez les préparatifs, une multitude d'autres idées de bricolages vous viendront sûrement à l'esprit.

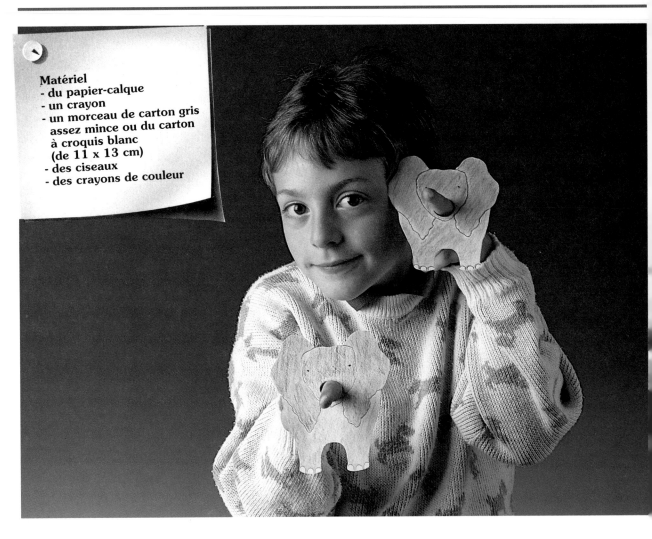

Eléphants-marionnettes

Offrez ces petits éléphants roses à un ami qui fête son anniversaire ou distribuez-les à vos invités en guise de souvenir de la fête.

1. Décalquez le contour de l'éléphant sur le carton d'après le modèle de la page 223 du catalogue.

2. Découpez le contour de l'éléphant ainsi que le cercle intérieur. Les lignes pleines de la tête, des oreilles et des pattes ne doivent pas être incisées. Reproduisez simplement ces traits au crayon en appuyant bien fort. N'oubliez pas les deux points des yeux.

3. Prenez vos crayons de couleur et coloriez la tête, les oreilles et le corps de l'éléphant. Choisissez des tons qui s'harmonisent bien. Si vous préférez un éléphant tout gris, utilisez des crayons ordinaires à pointe dure et à pointe souple. Ainsi vous obtiendrez différentes nuances de gris. Si vous n'avez qu'un seul crayon, il suffit d'appuyer plus ou moins fort pour obtenir le même effet.

4. Glissez votre index à travers l'orifice Maintenant votre éléphant a une trompe et vous pouvez le mouvoir comme une marionnette!

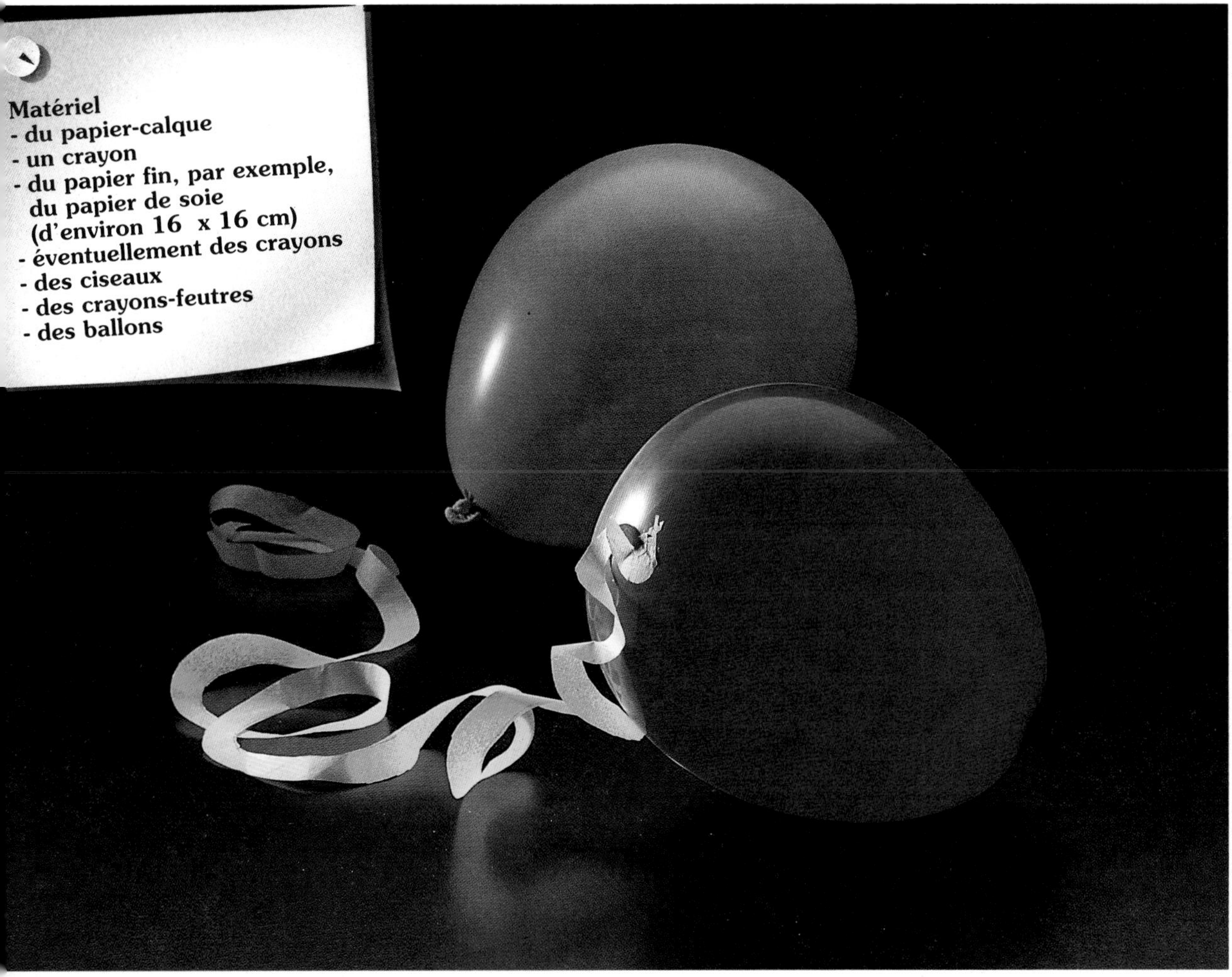
Matériel
- du papier-calque
- un crayon
- du papier fin, par exemple, du papier de soie (d'environ 16 x 16 cm)
- éventuellement des crayons
- des ciseaux
- des crayons-feutres
- des ballons

Serpent à ballon

Ce serpent est une jolie petite surprise pour vos grands et petits invités. Il est facile à bricoler mais attention, il mord rapidement!

1. A l'aide de papier-calque et d'un crayon, reproduisez le serpent sur du papier fin d'après le modèle de la page 218 du catalogue. Si vous utilisez du papier de soie, vous pouvez directement décalquer le serpent sur votre feuille. Si vous travaillez sur du papier blanc, coloriez votre serpent avec des crayons-feutres ou des crayons de couleur.

2. Ensuite, découpez soigneusement le serpent en suivant bien la spirale.

3. Découpez les parties hachurées. Faites très attention au moment de découper la petite langue fourchue. Dessinez les yeux au crayon-feutre.

4. Il ne manque plus que le gros ballon. Gonflez un ballon et nouez-le. Puis, frottez-le légèrement contre vos vêtements et approchez-le de la tête du serpent. L'animal va bondir vers le gros ballon comme s'il voulait le mordre. S'il reste immobile, frottez davantage le ballon contre vos vêtements.

Jeux de fléchettes

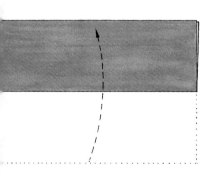

Matériel
- du papier pliant de couleur ou du papier blanc pour machine à écrire, ou bien du papier à croquis de format DIN A4
- un crayon
- éventuellement des crayons de couleur

Voici un jeu très amusant qui fera bien vite oublier à tout le monde que le temps est trop maussade pour organiser une fête d'anniversaire dans le jardin. Ces fléchettes sont faciles à réaliser. Une fois que chaque participant a inscrit son nom sur l'une d'elles, il suffit de tracer une ligne de départ et le concours peut commencer. Et n'oubliez pas de prévoir une petite récompense pour celui qui aura lancé sa fléchette le plus loin.

1. Posez la feuille horizontalement sur la table et pliez-la en deux dans le sens de la longueur. Marquez bien le pli et ouvrez à nouveau le papier.

2. Pliez les deux angles gauches jusqu'à la médiane. Les bords peuvent se toucher mais ne doivent pas se chevaucher. Marquez les deux plis avec votre ongle.

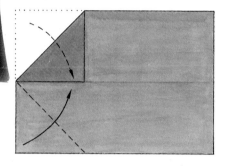

3. Pliez à nouveau les deux angles que vous venez d'obtenir jusqu'à la médiane et aplatissez bien les plis.

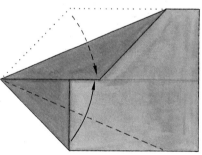

4. Retournez votre feuille de manière à ce que toutes les pliures soient en dessous. Ensuite, pliez les deux ailes vers la médiane tout comme vous l'avez fait avec les deux angles gauches. La fléchette est presque terminée.

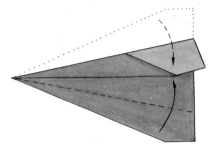

5. Retournez le papier afin que les premières pliures soient à nouveau au-dessus. Pliez la flèche en deux le long de la ligne médiane.

6. Tenez votre flèche par en dessous et déployez les ailes horizontalement vers le haut.

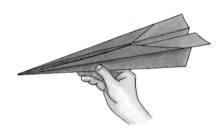

7. Une fois que chaque joueur a inscrit son nom sur une fléchette, le jeu peut commencer. Si vous en avez envie, décorez-les de motifs à l'aide de crayons de couleur.

Matériel
- une feuille de papier à dessin
  (16 x 16 cm)
- du papier-calque
- un crayon
- de vieux journaux
- un cutter ou un couteau
  de cuisine bien aiguisé
- une règle
- des ciseaux
- une brochette en bois
  pour grillades
- de la colle
- deux perles en bois d'environ
  1 cm de diamètre.

Petite éolienne

Les petites éoliennes sont très amusantes à bricoler à plusieurs pendant que la fête d'anniversaire bat son plein. Si vous les confectionnez à l'avance, vous pouvez aussi les offrir au gagnant d'un concours ou d'un jeu.

. Décalquez l'éolienne sur le papier à dessin selon le modèle de la page 221 du catalogue. Comme vous allez travailler au couteau, recouvrez votre surface de travail d'une couche de vieux journaux.

. A l'aide du cutter ou du couteau de cuisine (et de la règle, si nécessaire), fendez tous les traits intérieurs de l'éolienne. Incisez toujours de l'extrémité du trait vers l'angle. Ainsi vous éviterez de froisser votre papier.

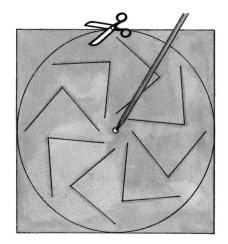

4. Maintenant, pliez les triangles découpés auparavant dans l'éolienne. Rabattez un triangle sur deux vers l'avant du papier en suivant bien la ligne incisée. Aplatissez soigneusement tous les plis. Les quatre triangles sont partiellement dissimulés.

. Découpez l'éolienne et piquez doucement la brochette pour grillades au milieu du cercle central.

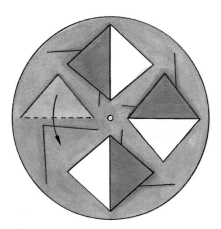

5. Retournez l'éoliennne afin que les triangles rabattus soient en dessous. Regardez votre papier : vous avez quatre orifices triangulaires et quatre pointes fermées.

6. Ces pointes fermées doivent également être rabattues vers l'extérieur. Marquez à nouveau tous les plis.

Ensuite, redressez les huit triangles de manière à ce qu'ils soient en position verticale par rapport à chaque côté de l'éolienne.

7. Glissez la petite brochette en bois dans le trou du milieu. Encollez les extrémités de la brochette et fixez une perle de chaque côté. De cette manière la petite roue ne risque pas de se détacher. Maintenant il ne manque plus qu'un léger souffle de vent pour que l'éolienne se mette à tourner.

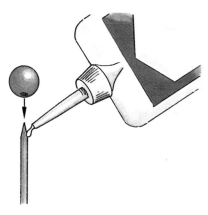

Calendrier d'anniversaire

Grâce à ce calendrier original, il vous sera désormais impossible d'oublier les anniversaires de vos amis!
Chaque ballon représente un mois de l'année. Il suffit d'y indiquer le nom de la personne que vous souhaitez féliciter et sa date de naissance.

1. Commencez par décalquer toutes les parties de la fillette sur le papier à dessin. Les couleurs doivent être bien assorties. Prenez du blanc pour les dentelles des manches et du tablier. Puis, découpez toutes les parties.

2. Avant de coller la fillette sur le carton bleu, assemblez tous les éléments. Collez la grande dentelle contre le bord du jupon. Posez ensuite cette partie par derrière contre le bas en oblique de la robe. Pendant que la colle sèche, collez, également par l'arrière, les chaussures contre le long caleçon.

3. Posez la tête contre le décolleté de la robe et fixez le col par-dessus avec un peu de colle. Toujours par l'arrière, disposez les jambes avec les chaussures contre le jupon.

4. Collez le papier dentelé blanc contre le bord inférieur du tablier et fixez la bavette et le petit coeur au-dessus. Posez le tablier terminé sur la robe. Les mains et les dentelles des manchettes ne doivent pas encore être encollées sinon vous ne pourrez pas fixer les ficelles des ballons.

5. Disposez la fillette terminée sur le grand carton et fixez-la avec de la colle. Esquissez la tête au crayon et confectionnez une chevelure ébouriffée en laine. Puis, décorez le col et les chaussures d'un noeud en laine.

Matériel
- du papier-calque
- un crayon
- du papier à dessin de différentes couleurs
- des ciseaux
- de la colle
- une feuille de papier à dessin bleu ou du carton pour affiches (de format DIN A2)
- des crayons de couleur ou des crayons-feutres
- de la laine fine de deux couleurs différentes
- du fil à coudre de différentes couleurs

1. Découpez douze ballons dans des restants de papier à dessin de différentes couleurs. Veillez à ce qu'ils ne soient pas trop petits sinon vous ne pourrez pas y inscrire toutes les données. Une fois que tous les ballons sont bien disposés sur le carton, inscrivez un mois de l'année sur chacun d'eux et fixez-les tous avec de la colle.

2. Encollez légèrement le bout des manches et posez six fils de chaque côté. Dès que la colle est sèche, coupez les extrémités des fils qui dépassent.

3. Pour terminer, collez les mains et les dentelles correspondantes contre le bout des manches de manière à dissimuler les extrémités des fils. Il n'y a plus qu'à fixer votre calendrier au mur.

Mains

Caleçon

Manchettes

Chaussures

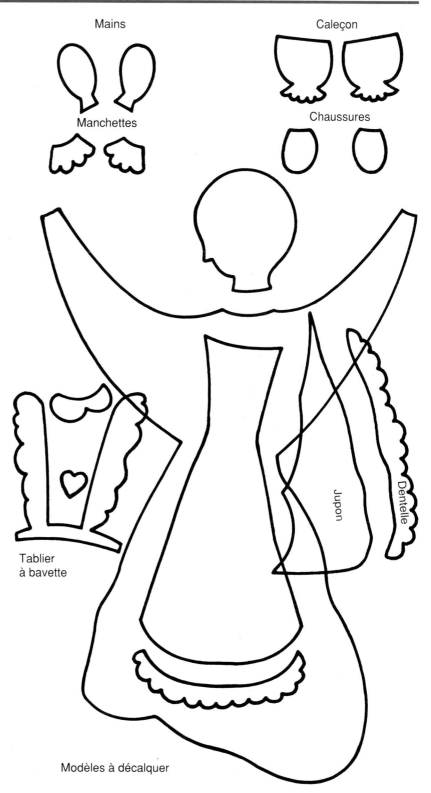

Tablier
à bavette

Jupon

Dentelle

Modèles à décalquer

Barquettes à pirate

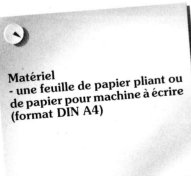

Matériel
- une feuille de papier pliant ou de papier pour machine à écrire (format DIN A4)

Ces petites barques viendront toujours bien à point à chaque fête d'anniversaire. Elles peuvent par exemple, servir de carton de table. Dans ce cas, il suffit d'en confectionner un grand nombre, de différentes couleurs et d'y inscrire le nom de chaque invité. Vous pouvez aussi bricoler une grande barque en papier robuste et la garnir de surprises.

N'oubliez pas de toujours bien marquer chaque pli avec un ongle. Cela vous facilitera grandement chaque étape du travail.

1. Posez la feuille devant vous afin qu'elle soit à la verticale et pliez-la en deux dans le sens de la longueur. Aplatissez bien le pli.

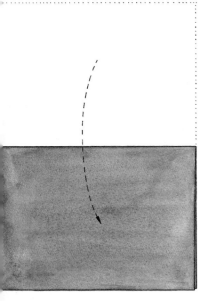

2. Maintenant, pliez le papier dans le sens de la largeur. Une fois le pli bien marqué, ouvrez la feuille. Vous avez obtenu une ligne médiane.

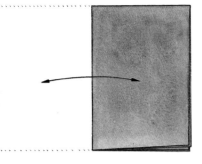

3. Rabattez le coin supérieur gauche fermé vers la médiane. Puis, procédez de la même manière avec le coin droit. Les deux triangles doivent être l'un contre l'autre.

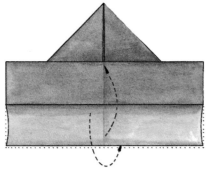

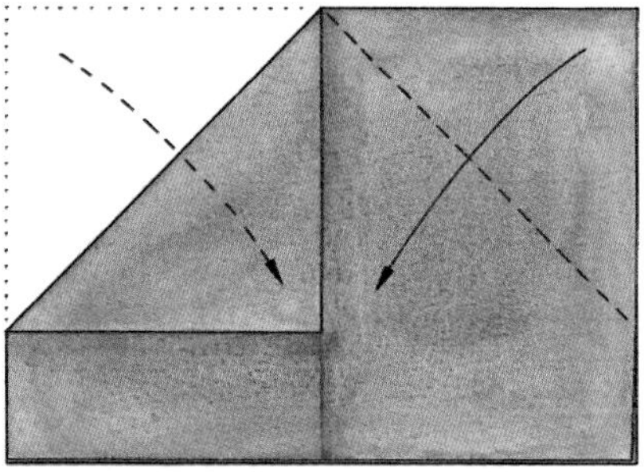

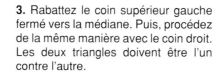

4. Rabattez la bande supérieure de papier située sous les triangles le plus loin possible vers le haut.

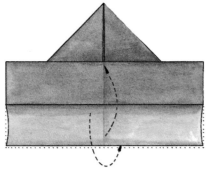

5. Retournez votre pliage et procédez de la même manière avec l'autre bande de papier.

6. Glissez votre main à l'intérieur de la forme triangulaire et écartez légèrement le papier. En même temps, glissez les extrémités de la bande de papier l'une sous l'autre. Vous avez obtenu un chapeau en papier. C'est la forme de base de votre barquette.

7. Rabattez les deux pointes inférieures du chapeau l'une contre l'autre de manière à ce qu'il se referme. Aplatissez bien les bords supérieurs en oblique afin d'obtenir un carré sur la pointe.

8. Pliez la pointe située au-dessus vers l'angle supérieur fermé du carré. Marquez bien ce pli.

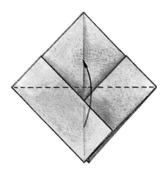

9. Retournez votre pliage et pliez l'autre pointe vers le haut de manière à former un triangle.

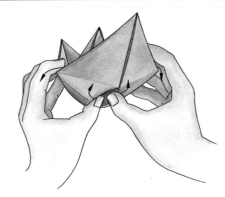

Puis, la barque s'enfonça à nouveau
dans la mer.
(Mimez le récit avec la barquette).

Et voilà que le grand mât de l'embarca-
tion se brisa d'un coup sec !
(Prenez votre barquette et arrachez la
pointe du milieu).
Le gros mât heurta la barque et toute la
poupe fut emportée par les flots.
(Arrachez la partie arrière de la barquette).

10. Votre papier ressemble à nouveau
à un petit chapeau. Glissez votre main
à l'intérieur du triangle et écartez-le
jusqu'à ce que les deux pointes
inférieures soient l'une contre l'autre.
Marquez bien tous les plis. Vous avez à
nouveau obtenu un carré sur sa pointe.

11. L'angle supérieur du carré est tra-
versé par une médiane. De part et
d'autre de cette ligne, vous avez deux
fines pointes. Tirez-les avec le pouce et
l'index jusqu'à ce que la barquette soit
à plat sur la table. Aplatissez tous les
plis.

Histoire de pirate

Grâce à cette petite barquette, vous
pourrez divertir vos amis en leur racon-
tant une histoire "à accessoire
protéiforme".

Il était une fois un redoutable pirate qui
courait les mers à bord de sa vieille
barque et guettait tous les navires pour
les piller.
(Posez la barquette sur votre index et
tournez votre main de gauche à droite).
Soudain, une violente tempête se
déchaîna et les vagues devinrent de
plus en plus fortes. La barquette du
pirate fut secouée en tous sens, de
haut en bas et de bas en haut. Une
énorme vague l'emporta d'un coup
jusqu'à son sommet.

Le pirate perdit le contrôle du gouver-
nail et la barque échoua contre un
énorme rocher. Et voilà que la proue se
fendit en mille morceaux.
(Arrachez l'avant de la barquette).
L'eau s'infiltra de tous côtés dans la
barque et elle coula tout au fond de la
mer. (Baissez les mains et dépliez complètement la barquette).
Le lendemain matin, un marin aperçut
une chemise qui flottait sur l'eau. (Quand
votre papier est déplié, il a la forme
d'une chemise. Tenez-la en oblique par
les manches courtes et levez vos bras.)
Etait-ce l'hiver ou l'été quand le pirate
fut victime de cette mésaventure ?
(Demandez à vos amis de deviner.)
Cela s'est passé en été. Et savez-vous
pourquoi ? Le pirate portait une chemise à manches courtes. En hiver, il
aurait certainement enfilé une chemise
à manches longues.
(Dépliez le papier et reconstituez la
forme dans l'autre sens. Après la dernière pliure, la chemise est un peu plus
courte, ses manches, par contre, sont
plus longues.)

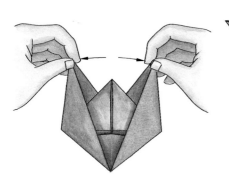

12. Pour que votre barquette puisse
flotter, écartez légèrement l'ouverture
située en-dessous.

Couronne d'anniversaire

Voici une délicate attention pour celui qui fête son anniversaire. Cette couronne est tressée à partir de quatre bandelettes de papier crépon. Elle est facile à réaliser et très décorative.

. Pliez les bandes de papier crépon en deux dans le sens de la longueur pour leur donner plus de volume. Agrafez ou collez l'une des extrémités de chacune des quatre bandelettes ensemble. Comme pour tresser vous avez besoin de vos deux mains, demandez à quelqu'un de tenir les bandelettes.

2. Etalez les quatre bandelettes devant vous. Puis, entrelacez une bandelette après l'autre pour former une grosse tresse. Commencez toujours par la dernière bandelette de gauche. Avec la main gauche, glissez la première bandelette presque horizontalement par-dessus la deuxième, puis en dessous de la troisième et à nouveau au-dessus de la quatrième. Laissez pendiller librement la bandelette du côté droit.

3. Procédez de la même manière avec la bandelette suivante. Regardez le dessin: la bandelette blanche située tout à fait à gauche passe au-dessus de la suivante, sous la troisième et au-dessus de la quatrième. La bandelette pend librement du côté droit.

4. Ensuite, prenez la troisième bandelette de gauche et tressez-la vers la droite. Procédez de la même manière avec la quatrième bandelette. Voyez comme c'est simple: la bandelette qui se trouve tout à fait à gauche doit toujours être entrelacée avec les trois autres qui pendent vers le bas. Tressez toujours dans le même sens et effectuez les mêmes mouvements. Si vous assimilez bien le rythme "au-dessus, en dessous, au-dessus", vous ne risquerez pas d'emmêler les bandelettes.

5. Dès que la tresse a environ 50 cm de long, tenez les extrémités des quatre bandelettes ensemble et fixez-les à l'autre bout de la tresse à l'aide de quelques agrafes ou d'un peu de colle.

6. Découpez les quatre pans de papier crépon qui dépassent en fines bandelettes. Votre ravissante couronne est terminée.

Hirondelle

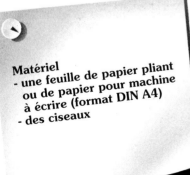

Matériel
- une feuille de papier pliant ou de papier pour machine à écrire (format DIN A4)
- des ciseaux

Cette hirondelle en papier est un prése
délicat et toujours bienvenu.
Elle peut aussi servir de carton de tabl
Et si vous bricolez toute une nuée d'h
rondelles avec vos convives, vou
pouvez même organiser un joyeu
concours "d'envol" pendant la fête.

1. Posez la feuille devant vous afin qu'elle soit à l'horizontale et pliez le coin inférieur gauche vers le côté supérieur opposé. Veillez à ce que le coin replié coïncide exactement avec le côté supérieur. Coupez la bande de papier qui dépasse à droite et rangez-la. Elle vous servira par la suite pour confectionner la queue de l'hirondelle.

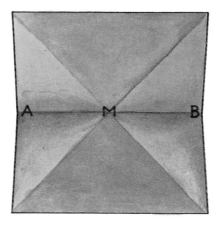

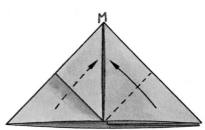

3. Appuyez vos deux majeurs sur les points A et B et poussez-les doucement l'un vers l'autre. Le point central M va se soulever. Une fois que les points A et B sont réunis, posez la feuille à plat sur la table et marquez bien tous les plis. Vous avez obtenu un triangle.

5. Rabattez les deux côtés inférieurs du carré vers la médiane et aplatissez soigneusement les plis. Vous avez réalisé ainsi une sorte de sachet. Dépliez-le à nouveau.

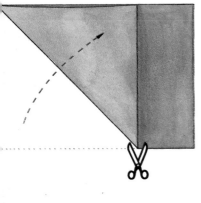

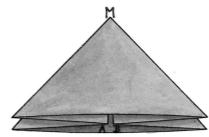

4. Pliez les deux angles inférieurs du triangle qui se trouve au-dessus vers la ligne médiane. Les deux pointes vont coïncider avec le point M. Vous avez ainsi obtenu un carré sur sa pointe.

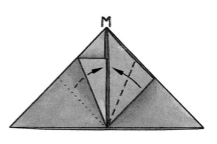

6. Tournez votre travail de façon à ce que la pointe M soit en dessous. Pliez le papier comme auparavant afin de former également un sachet de ce côté de la feuille. Marquez bien les plis et ouvrez à nouveau le sachet.

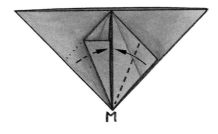

2. A partir du carré que vous venez de plier en triangle, formez le corps de l'oiseau. Commencez par ouvrir à nouveau le triangle. Puis, pliez l'un sur l'autre les deux coins situés de part et d'autre de la diagonale. Ouvrez la feuille et tournez-la légèrement de manière à ce que les deux lignes pliées s'écartent légèrement de la table. Pliez le carré en deux pour obtenir un rectangle. Ouvrez votre feuille et regardez le dessin: vous avez trois lignes qui se croisent. Les diagonales sont légèrement voûtées vers le haut, tandis que la ligne horizontale tend à s'affaisser.

7. Posez votre index gauche sur l'aile supérieure gauche du carré. Glissez le pouce et le majeur de la même main en dessous et pressez la pointe. Rabattez les bords de cette aile jusqu'à la ligne médiane de manière à obtenir une petite pointe qui se détache verticalement de la feuille. Procédez de la même façon avec l'aile supérieure droite.

10. Pliez cette fine bande en deux et coupez un tiers en forme de pointe. Veillez à ne pas trop effiler la bandelette sinon l'hirondelle aura du mal à voler. Ouvrez ensuite votre pliage.

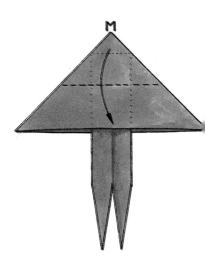

8. Rabattez les deux pointes vers le point M.

11. Retournez le corps de l'oiseau afin que tous les plis soient en dessous. Puis, glissez l'extrémité droite de la queue le plus loin possible à l'intérieur de l'hirondelle. Rabattez la pointe M du triangle vers l'arrière jusqu'à ce qu'elle soit contre le bord inférieur. Marquez le pli avec l'ongle du doigt.

12. Pliez le dessus du corps de l'hirondelle en deux dans le sens de la longueur. Glissez votre index par l'avant entre les ailes (la queue est à l'opposé de votre main). Maintenant votre hirondelle a la forme idéale pour prendre son envol.

9. Maintenant, prenez la bande de papier que vous avez coupée tout au début. Pliez-la en deux dans le sens de la longueur. Coupez la bande en deux le long de ce pli, sinon la queue de votre hirondelle sera trop large. Ne gardez donc qu'une moitié de la bande.

Lapin et hérisson en ombres

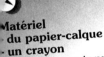

Matériel
- du papier-calque
- un crayon
- 4 feuilles cartonnées
  (format DIN A4)
- des ciseaux
- du papier collant double face
- 4 attaches parisiennes
- 3 bâtonnets en bois
  pour grillades
- de la colle
- du papier collant transparent
- du fil de fer
  (d'environ 1,25 m de long
  et de 1mm de diamètre)
- une pince universelle

Connaissez-vous l'histoire du lapin et du hérisson ? C'est un des nombreux contes des célèbres frères Grimm. Si vous ne l'avez jamais entendue, procurez-vous un livre ou faites-la vous raconter. Organisez une séance de théâtre d'ombre et jouez cette histoire. Vous pouvez aussi inventer une histoire qui mette en scène ces mêmes animaux. Commencez par préparer votre surface de projection. Si vous avez un théâtre de marionnettes, tendez une toile blanche devant la scène. Sinon, l'encadrement d'une porte recouvert d'un drap blanc fera tout aussi bien l'affaire. Pensez aussi à l'éclairage: procurez-vous une lampe à forte puissance lumineuse (une lampe de bureau ou un projecteur pour diapositives, par exemple) et placez-la derrière le drap. Les joueurs doivent se placer derrière la scène, entre la lampe et l'écran. Mieux vaut qu'ils jouent le plus près possible de la toile afin que les contours des figurines apparaissent clairement.

1. Décalquez les contours des deux buissons sur le carton selon le modèle de la page 123 du catalogue. Puis, décalquez les parties du lapin et deux fois celles du hérisson d'après les modèles de la page voisine. N'oubliez pas les orifices pour les articulations et les fils.

2. Découpez les dix formes que vous avez décalquées et percez doucement les cercles à l'aide des ciseaux.

3. Les buissons vous serviront par la suite de coulisses. Comme ils ne devront pas bouger, collez un peu de papier collant double-face à l'arrière. Une fois que vous ôterez le film protecteur, vous pourrez les fixer de part et d'autre de l'écran en toile.

4. Fixez un bâtonnet en bois contre le corps du lapin et des deux hérissons. Ainsi vos figurines seront plus faciles à manier devant l'écran. Collez les bâtonnets au milieu de l'animal à environ 4 cm du bord inférieur. Une fois que la colle est sèche, fixez encore un petit morceau de papier collant transparent par-dessus.

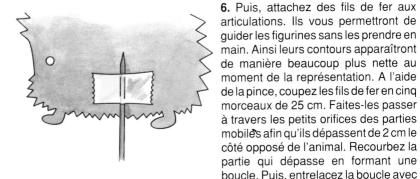

5. Les parties mobiles des animaux doivent maintenant être fixées au corps en formant des "articulations". Glissez l'attache parisienne à travers les grands orifices du corps et de chacun des membres des animaux. Recourbez les extrémités de l'attache sans trop la serrer afin que les membres restent suffisamment mobiles. Les têtes de hérisson, la tête du lapin ainsi que ses pattes avant et arrière, doivent pouvoir bouger facilement.

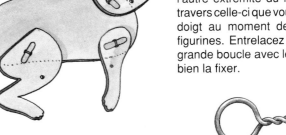

6. Puis, attachez des fils de fer aux articulations. Ils vous permettront de guider les figurines sans les prendre en main. Ainsi leurs contours apparaîtront de manière beaucoup plus nette au moment de la représentation. A l'aide de la pince, coupez les fils de fer en cinq morceaux de 25 cm. Faites-les passer à travers les petits orifices des parties mobiles afin qu'ils dépassent de 2 cm le côté opposé de l'animal. Recourbez la partie qui dépasse en formant une boucle. Puis, entrelacez la boucle avec le long morceau de fil de fer. (Ce sera plus facile au moyen de la pince universelle).

7. Formez une boucle plus grande à l'autre extrémité du fil de fer. C'est à travers celle-ci que vous passerez votre doigt au moment de jouer avec les figurines. Entrelacez également cette grande boucle avec le fil de fer afin de bien la fixer.

8. Avant la représentation, mieux vaut évidemment organiser une petite répétition. Exercez-vous à bien manier vos figurines afin de ne pas devoir interrompre le déroulement de la pièce. Une fois que vos animaux vous obéiront au doigt et à l'oeil, la représentation pourra commencer. Attention ... rideau !

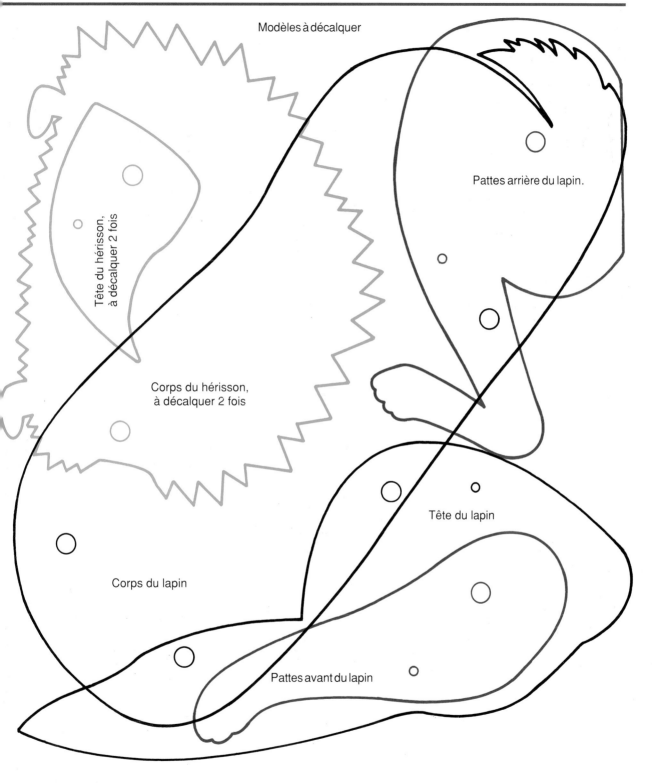

Modèles à décalquer

Pattes arrière du lapin.

Tête du hérisson,
à décalquer 2 fois

Corps du hérisson,
à décalquer 2 fois

Tête du lapin

Corps du lapin

Pattes avant du lapin

Chien-marionnette

Matériel
une boîte de taille moyenne
des ciseaux
deux bouchons
une grosse aiguille à repriser
du fil résistant (du fil de nylon
ou du gros fil à coudre)
quelques allumettes
de la colle
une grande boîte circulaire
deux boîtes à camembert
un couteau de cuisine
bien tranchant
4 boîtes de forme allongée
(des boîtes de brosse à dents,
par exemple)
des crayons (prenez
des couleurs qui contrastent
avec celles des fils)
de la couleur acrylique
un pinceau
2 baguettes
ou deux tringles en bois

Si vous êtes invité à une fête d'anniversaire, emmenez une marionnette que vous avez bricolée vous-même. Ce convive inattendu ne manquera pas d'amuser vos amis. Le chien que nous vous proposons, ici, est confectionné à partir de quelques boîtes. Rien ne vous empêche naturellement de vous inspirer de cette technique pour réaliser d'autres animaux ou pour créer des petits monstres fabuleux.

1. Commencez par confectionner le corps du chien. Prenez une grande boîte, un carton à chaussures, par exemple, et posez-la sur la table. Le côté ouvert doit être en dessous. La queue est faite à partir d'un bouchon. Marquez l'endroit où elle devra être fixée contre la boîte et percez ce point à l'aide d'une aiguille.

2. Enfilez l'aiguille et nouez une allumette à l'extrémité du fil. De l'intérieur de la boîte, faites passer le fil à travers l'orifice du carton. Puis, piquez l'aiguille en oblique à travers l'un des bords du bouchon. Nouez le fil et coupez la partie qui dépasse. Ne tirez pas trop sur le fil avant de le nouer. La queue du chien doit pendiller légèrement, sinon il ne pourra pas l'"agiter".

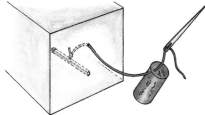

3. Le cou est fait de deux boîtes d'allumettes. Collez-les l'une contre l'autre dans le sens de la longueur. Pendant que la colle sèche, marquez l'endroit où le cou devra être fixé au carton. Percez ce point à l'aide de l'aiguille.

4. Nouez une allumette à l'extrémité d'un fil d'environ 30 cm de long. Faites-le passer de l'intérieur du carton par l'orifice que vous venez de percer. Piquez, ensuite, au travers des deux boîtes d'allumettes. Tirez sur le fil et laissez le pendre momentanément. Il vous servira par la suite pour fixer la tête du chien.

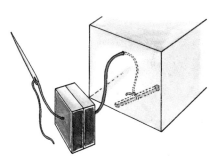

5. La tête est faite d'une grande boîte ronde. Le couvercle formera la face avant de la tête. Pour le museau, prenez une boîte à camembert et collez-la sur le couvercle. A l'aide d'un couteau tranchant, coupez ensuite deux rondelles de bouchon et collez-les de part et d'autre de la tête. Voici les yeux du chien.

6. Pour les oreilles, détachez les fonds circulaires des deux boîtes à camembert. (Vous pouvez aussi découper deux cercles dans du carton). Avec du fil et une aiguille, attachez-les de part et d'autre du bord de la tête. Nouez les extrémités des fils sans trop serrer. Le chien doit pouvoir dresser et baisser les oreilles.

7. Faites passer un fil assez long à travers le bord supérieur du couvercle de la boîte. La tête sera plus tard suspendue au bout de ce fil. Attachez un petit morceau d'allumette à un fil d'environ 1 mètre de long. Ensuite, faites passer le fil, par l'intérieur, à travers le bord du couvercle (piquez au milieu, au-dessus des yeux). Laissez momentanément pendre le fil librement.

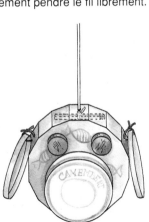

8. Le fond de la grande boîte ronde va devenir la partie arrière de la tête de votre chien. Faites un orifice dans le fond de la boîte à l'endroit où doit être placé le cou. Puis, faites passer le fil qui part du cou dans une aiguille et piquez

à travers le fond de la boîte. Reliez souplement le cou et la tête. Ainsi votre chien pourra agiter sa tête en tous sens. Fixez l'extrémité du fil à l'intérieur du fond de la boîte en le nouant à une allumette. Coupez le restant du fil qui dépasse.

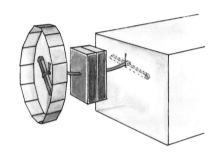

9. Assemblez les deux parties de la boîte en veillant à ce qu'elles soient bien l'une contre l'autre.

10. Avant de bricoler les pattes, attachez encore cinq fils au corps du chien. Ces fils vous permettront de l'orienter et de le suspendre à la croix en bois. Faites passer un fil dans le bord inférieur de chaque oreille. Nouez bien l'extrémité de ces deux fils. Puis, faites passer un fil à travers la queue. Piquez en oblique à travers le bouchon et faites un gros noeud.

11. Pour suspendre le corps, faites passer deux fils à travers le dessus de la boîte en carton. Mesurez le milieu de chaque côté de la boîte et faites deux orifices à quelques centimètres du bord. Prenez deux longs fils (1 m) et nouez une allumette à l'une de leurs extrémités. A l'aide d'une aiguille, faites-les passer à travers le carton en partant de l'intérieur de la boîte.

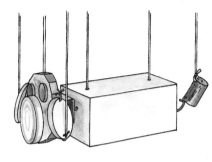

12. Les quatre boîtes de forme allongée doivent être fixées sous le corps. Ce sont les pattes de votre chien. Commencez par ouvrir toutes les boîtes d'un côté.

13. Faites passer un fil d'environ 30 cm de long à travers l'aiguille et piquez le côté fermé de la boîte. L'aiguille enfilée doit ressortir du côté ouvert de la boîte. Otez l'aiguille et attachez un morceau d'allumette au bout du fil.

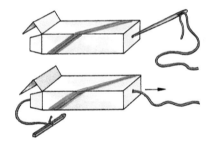

14. Tirez sur l'autre extrémité du fil afin que le bout d'allumette disparaisse à l'intérieur de la boîte. Procédez de la même manière avec les trois autres boîtes.

5. Les pattes doivent être attachées souplement au corps du chien. Pour cela, faites deux trous dans chaque coin de la boîte. Piquez à environ 1,5 cm du bord et laissez un espace équivalent entre les deux orifices. Faites passer les fils des pattes par l'un des orifices de chacun des coins.

6. Avant de fixer définitivement les fils, déterminez la longueur des pattes de votre chien. Pour cela, soulevez la grande boîte ou posez-la sur un support. Si vous tirez les boîtes de forme allongée vers le bas, vous aurez un chien haut sur pattes. Si vous tirez les fils vers le haut, votre chien sera court sur pattes.

7. Une fois la longueur d'une patte déterminée, tenez le fil par au-dessus et faites une marque à environ 1,5 cm de l'orifice. Faites passer l'extrémité du fil à travers le second orifice afin qu'il soit à l'intérieur de la boîte. Attachez un petit bout d'allumette à l'endroit marqué au crayon et coupez le restant du fil qui dépasse. Fixez les trois autres pattes de la même manière. (Si votre boîte est trop petite pour travailler de l'intérieur, nouez les fils au-dessus de la boîte à l'aide d'un petit bouton).

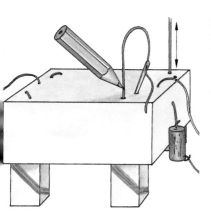

18. Votre chien est terminé. Il ne vous reste plus qu'à le peindre avec de la couleur acrylique. (Si vos boîtes sont en couleur, la gouache convient moins bien car elle n'est pas suffisamment couvrante).

19. Confectionnez maintenant la croix en bois. Elle peut être faite à partir de deux baguettes. La baguette longitudinale doit être aussi longue que l'ensemble du corps du chien. La baguette transversale doit être de même longueur que toute la tête du chien. Attachez les deux baguettes ensemble à environ 3 cm de l'une des extrémités de la grande baguette. Enroulez un gros fil autour du point d'intersection des deux baguettes. Croisez plusieurs fois le fil au-dessus des baguettes avant de le fixer avec un peu de colle.

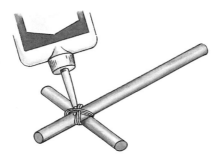

20. Pour suspendre le chien, mieux vaut demander l'aide d'un ami ou d'un membre de votre famille. Commencez par attacher à la baguette longitudinale, les deux fils qui portent le plus de poids, c'est-à-dire ceux du corps du chien. Si vous tenez la croix horizontalement, le chien doit également être à l'horizontale. Veillez à ce que les fils soient bien droits par rapport à la baguette en bois.

21. Ensuite, fixez le fil qui porte la tête à l'extrémité de la grande baguette, juste devant la baguette transversale. Si vous tenez la croix à l'horizontale, le chien doit regarder tout droit. Attachez les fils des oreilles de manière à ce qu'elles pendent vers le bas quand le chien est immobile. Fixez ces fils aux extrémités de la baguette transversale. Pour terminer, fixez le fil de la queue à l'extrémité arrière de la baguette longitudinale. Quand vous tenez la croix à l'horizontale, la queue doit pendre vers le bas.

22. Assurez-vous que tous les fils sont bien tendus quand le chien-marionnette est en position horizontale. Si l'un des fils est un peu trop long, nouez une partie de l'extrémité supérieure.

23. Fixez tous les fils noués autour de la croix en bois avec un peu de colle. Ainsi ils ne risqueront pas de glisser.
Pour articuler votre chien-marionnette, tenez la croix en bois à l'horizontale ou faites-la bouger de gauche à droite. En même temps, tirez sur les différents fils avec les doigts de l'autre main. Et voilà votre chien prêt à gambader!

Décorations pour la table et les fêtes

Nous aimons tous que les fêtes
et les cérémonies se distinguent
du quotidien. Pour que l'ambiance
soit tout à fait réussie, il est important
que le cadre soit particulièrement soigné.
Des serviettes joliment pliées, de ravissants
petits cartons de table, des guirlandes
sur le buffet ou aux murs sont un atout
certain pour un souvenir inoubliable.
Toute la famille pourra collaborer
à la préparation de ces décorations
personnalisées. Et vous verrez
qu'en réalisant vous-même
toutes les petites choses qui viennent
égayer une fête, vous aurez beaucoup plus
de plaisir que si vous les aviez simplement
achetées toutes faites dans le commerce.

Cheval à bascule

Matériel
- du papier-calque
- un crayon
- un morceau de papier à dessin brun ou noir ou de papier à croquis blanc (13 x 24 cm)
- des ciseaux
- de la colle
- des crayons de couleur ou des crayons-feutres

Ce cheval à bascule sera un petit carton de table original pour un anniversaire d'enfant et, à la fin de la fête, chaque invité pourra bien entendu l'emporter en souvenir.

1. Décalquez deux fois le modèle du cheval sur le papier à dessin. Ne reportez les lignes en pointillés que pour l'un des chevaux.

2. Découpez les contours du cheval. Soyez très soigneux pour les surfaces comprises entres les jambes. La meilleure façon de procéder est la suivante : enfoncez la pointe des ciseaux au milieu de cette surface et partez de là pour découper le bord des jambes. Vous n'obtiendriez pas une coupure bien nette en partant directement de la ligne au crayon.

3. Collez les deux parties l'une sur l'autre pour que le cheval puisse basculer par la suite. Encollez d'abord la partie supérieure de l'une des moitiés du cheval. Arrêtez-vous aux lignes qui indiquent le début de la crinière, de la queue et de la partie inférieure car celles-ci ne doivent pas être encollées. Posez ensuite la seconde moitié du cheval sur la première et appuyez bien.

4. Confectionnez la crinière. Découpez des franges en maintenant les deux épaisseurs de papier ensemble. Vous pouvez, si vous le désirez, dessiner une fine ligne au crayon qui indiquera l'endroit où les entailles doivent s'arrêter. Pour terminer, passez plusieurs fois les doigts sur les franges afin de séparer les deux couches de papier. Ainsi la crinière sera bien touffue!

5. Découpez ensuite de longues bandes de papier légèrement courbes pour la queue. Comme il y a deux feuilles de papier, la queue sera aussi très touffue.

6. Dessinez la couverture du cheval à l'aide de crayons de couleur ou de crayons-feutres. Choisissez une teinte qui s'harmonise avec celle du cheval. Inscrivez ensuite le nom de votre invité sur la couverture.

7. Ecartez maintenant les deux parties inférieures et redressez le cheval. Il se balancera dès que vous lui donnerez une légère impulsion.

Modèle à décalquer

Décalquer deux fois

Lac des cygnes

Ces cygnes serviront bien sûr de cartons de table sur lesquels vous inscrirez le nom de vos invités. En plus, ils viendront joliment compléter la décoration.

Matériel
- un morceau de papier à dessin bleu (10 x 10 cm)
- un morceau de papier blanc (prenez du papier pour machine à écrire ou du papier à croquis) d'environ 10 x 10 cm
- du papier-calque
- un crayon
- un cutter ou un petit couteau de cuisine
- des ciseaux
- des crayons-feutres
- de la colle

Pliez le papier bleu à angle droit et exactement à la moitié du carré. Vous obtenez ainsi le petit carton de table qui représentera aussi le lac sur lequel nage le cygne.

3. Décalquez le cygne d'après le modèle ci-dessous sur le papier blanc. Reportez aussi les lignes pointillées. Incisez légèrement les lignes en pointillés pour pouvoir les plier plus facilement par la suite. Découpez la forme du cygne. Effacez précautionneusement les lignes décalquées.

5. Pour que le cygne ait plus de volume, pliez-le en suivant les lignes que vous avez déjà incisées. Repliez le pli du milieu de l'aile vers l'arrière. Tous les autres plis doivent ressortir vers l'avant. Rabattez donc le papier en arrière.

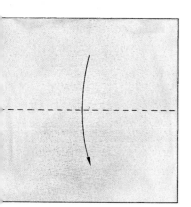

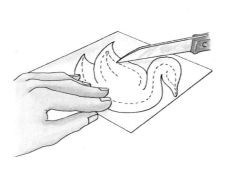

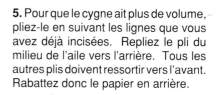

Le long du pli, tracez une ligne légèrement ondulée comportant trois crêtes un centimètre de large. Prenez soin de bien les tracer contre le bord du pli car, par la suite, elles devront maintenir les deux parties de la carte ensemble. Ces endroits sont hachurés sur le dessin. Découpez ensuite les quatre parties creuses.

4. Retournez le cygne et dessinez l'oeil à l'aide du crayon-feutre.

6. Pour terminer, encollez le bord inférieur de la face arrière du cygne. Posez le cygne en haut du petit carton de table, comme s'il était prêt à sortir de l'eau. Il ne vous reste plus qu'à inscrire le nom de votre invité sur le carton.

Modèle à décalquer

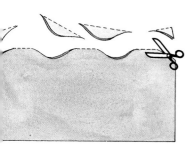

Matériel
- une feuille carrée de papier pliant (de 17 x 17 cm ou d'un format supérieur)
- des crayons-feutres ou des stylos à bille
- un peu d'ouate

Flottille

Une flottille multicolore sera une ravissante décoration pour la table. Et, vous écrivez le nom des invités sur coque ou la cheminée du paquebot vous aurez par la même occasion de petits cartons de table très originau Chacun pourra emporter son paquebot en souvenir de la fête ou du repas d'anniversaire.

1. Pliez la feuille carrée côté contre côté, de façon à obtenir un rectangle. Ensuite, ouvrez-la et pliez-la de la même façon dans l'autre sens. Lorsque vous ouvrez la feuille, vous obtenez deux plis qui se coupent en leur milieu.

2. Rabattez un à un les quatre angles vers le point central. Aplatissez bien les plis.

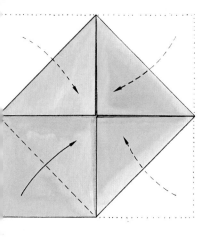

3. Retournez le papier de manière à ce que tous les plis soient tournés en dessous. Ramenez à nouveau les quatre angles vers le point central.

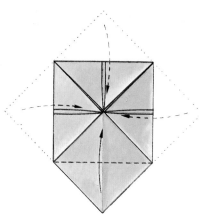

4. Retournez la feuille et repliez à nouveau les quatre angles vers le milieu.

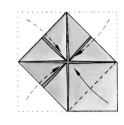

5. Retournez le bricolage une dernière fois. Vous avez devant vous un grand carré divisé en quatre plus petits. Ramenez l'un d'entre eux vers le haut. Placez sa face interne perpendiculairement au grand carré pour que le petit carré s'ouvre. Ecartez encore le petit carré du centre jusqu'au niveau de son sommet. Vous avez maintenant obtenu un rectangle. Aplatissez bien tous les bords.

6. Faites la même chose avec le carré opposé. Vous devez obtenir la figure ci-dessous. Ces deux rectangles deviendront les cheminées du paquebot et les deux carrés formeront la proue et la poupe.

7. Glissez vos deux index en dessous des pointes du milieu. Faites-les soigneusement sortir tout en faisant coulisser le bateau latéralement à l'aide des pouces et des majeurs. Les deux cheminées vont ainsi se placer l'une contre l'autre. Votre bateau est prêt.

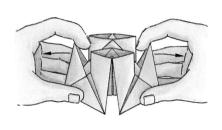

8. Inscrivez le nom de vos invités sur les paquebots. Glissez encore un peu d'ouate dans la cheminée pour donner l'impression qu'une épaisse fumée s'en dégage. Et pourquoi ne pas disposer les paquebots sur des serviettes bleues ou les laisser flotter sur une "mer" de serpentins? Au gré de votre fantaisie...

Serviettes pliées

Des serviettes bien pliées apportent toujours la touche finale à la décoration d'une table de fête.

Matériel
- deux serviettes en papier

Voilier

1. Posez une serviette pliée en deux sur la table afin que l'angle fermé soi au-dessus. Repliez l'angle ouvert su l'angle fermé. Vous obtiendrez un tri angle.

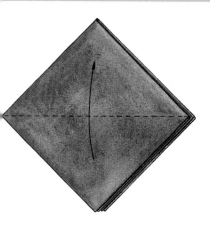

2. En partant de l'angle fermé, pliez le triangle en accordéon jusqu'à la pointe. Vous devez obtenir une étroite bande de papier.

5. De la main gauche, tenez cette forme par son petit côté . De la main droite, prenez l'une après l'autre les quatre pointes qui se trouvent dans la fente. Tirez-les précautionneusement vers le haut.

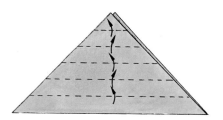

2. Rabattez les côtés droit et gauche le long de la ligne médiane. Les angles dépasseront bien entendu du côté inférieur du triangle.

3. Retournez la bande de papier de manière à ce que tous les plis soient face contre la table. Appuyez sur le milieu de la bande de papier et ramenez les deux côtés vers le haut de façon à ce qu'ils se rejoignent. Entrelacez-les légèrement afin de mieux les maintenir. Pour que la serviette reste bien droite, glissez un couteau ou une fourchette au milieu.

3. Ensuite, rabattez les deux pointes qui dépassent vers l'arrière.

PAPILLON

1. Déployez entièrement la serviette devant vous. Pliez-la en diagonale, c'est-à-dire angle sur angle, pour obtenir un triangle.

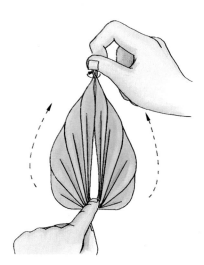

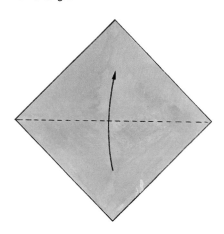

4. Ramenez également les deux moitiés de la serviette en arrière.

Matériel
- deux serviettes de même
  dimension et de tons
  qui s'harmonisent bien.

Serviettes en pochettes

Avec deux serviettes, il est facile de réaliser une pochette dans laquelle vous pourrez glisser le couvert, un carton de table ou encore une fleur, en fonction des événement fêtés. Ce bricolage est particulièrement joli quand on combine

deux serviettes de teintes différentes ou une serviette unie et une autre imprimée.

1. Déposez les deux serviettes entièrement déployées l'une sur l'autre. Si vous employez des serviettes dont une seule face est imprimée, veillez à ce que les deux faces imprimées soient l'une contre l'autre.

2. Pliez les deux serviettes dans le sens de la longueur et ensuite dans le sens de la largeur. Ainsi, vous avez obtenu un carré. Déposez les serviettes devant vous de manière à ce que l'angle fermé soit en bas à gauche.

3. Prenez trois des pointes de l'angle supérieur droit. Rabattez-les sur l'angle fermé en bas à gauche. Marquez bien le pli et ramenez les trois feuilles à leur place initiale. Un pli diagonal s'est formé.

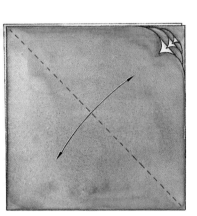

4. Pour réaliser la première pochette, rabattez la pointe des trois premières feuilles sur la diagonale.

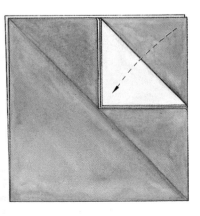

5. Ramenez également le nouveau bord contre la diagonale. Les pointes des feuilles disparaissent à l'intérieur du pli.

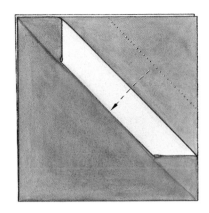

6. Rabattez une dernière fois cette bande de papier pour qu'elle se trouve de l'autre côté de la diagonale.

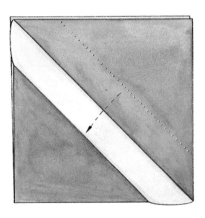

7. Pour la deuxième pochette, soulevez les deux pointes suivantes et rabattez-les vers l'arrière. Vous devez obtenir une bande de la même largeur que la précédente. Votre seconde pochette est prête.

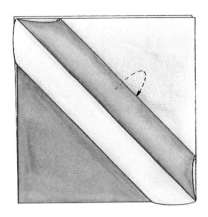

8. Rabattez la partie latérale en arrière comme le montrent les pointillés sur le dessin. Placez cette petite serviette à côté de l'assiette et glissez le couvert ou une fleur dans une pochette.

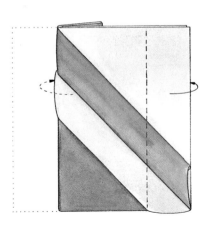

Serviettes en éventail

Pour réaliser cette décoration de table, il faut également plusieurs serviettes. L'éventail est composé de deux serviettes mais seule une couleur apparaîtra en surface.

1. Disposez deux serviettes déployées une sur l'autre. La serviette de la couleur qui doit être à l'extérieur par la suite doit être au-dessus. Pliez-les en deux pour obtenir un rectangle.

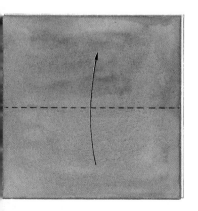

2. Rabattez les deux moitiés supérieures des serviettes vers le bas afin que leurs bords supérieurs soient contre le bord inférieur.

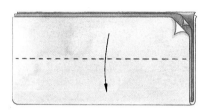

3. Retournez les serviettes et procédez de la même façon pour les deux autres moitiés.

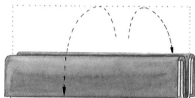

4. En partant du côté en largeur du rectangle, pliez les serviettes en accordéon. Espacez les plis d'environ 2 cm. La serviette présente maintenant plusieurs couches superposées. Pressez le tout pour que les plis tiennent bien par la suite.

5. D'une main, tenez tous les plis du côté fermé de l'éventail, c'est-à-dire celui dont on ne voit qu'une seule couleur. De l'autre main, rabattez un à un tous les plis du côté ouvert de la serviette extérieure pour que la couleur de la serviette intérieure apparaisse. Pour cela, prenez chaque pli entre le pouce et l'index et tirez-le vers vous en l'abaissant.

6. Ensuite, retournez l'éventail et procédez de la même de manière avec l'autre côté. Les deux couleurs formeront un joli bord autour de l'éventail.

Guirlandes de toutes les couleurs

Matériel
- 3 feuilles de papier crépon de différentes couleurs (d'environ 5 x 180 cm)
- un crayon
- de la colle
- des ciseaux

Vous avez sans doute tous déjà réalisé des guirlandes. Cette méthode-ci est cependant un peu particulière car il vous faut non pas deux bandes de papier mais trois. La façon de procéder sera donc aussi différente. Pour obtenir une guirlande à la fois solide et flexible, il est indispensable d'employer du papier crépon. Ce bricolage est une très belle décoration pour un buffet froid. Vous pouvez aussi suspendre la guirlande au plafond ou l'offrir en guise de couronne à un ami qui fête son anniversaire.

1. Pour que les bandes de papier soient bien solides, pliez-les d'abord en deux dans le sens de la longueur.

2. Découpez le bout de chaque bandelette en biais. Pour cela, évaluez un quart de cercle au bout d'une bandelette. Rabattez un tiers de cette surface vers le bas. Encollez légèrement cette partie.

. Placez ensuite deux bandelettes en parallèle. Un angle obtus doit se former à leur sommet. Les trois angles sont représentés par A, B et C sur le dessin.

. Placez maintenant la troisième bandelette dans cet angle afin qu'elle s'écarte en oblique vers la gauche. Les côtés longitudinaux doivent être le plus près possible contre les points A et B et l'extrémité pointue doit rencontrer le point C. L'autre pointe va coïncider avec la jonction des deux bandelettes inférieures (point D). Tracez au crayon la marque des lignes obliques inférieures. Ecartez provisoirement la bandelette supérieure. Encollez légèrement les deux bandelettes inférieures et posez la troisième à l'endroit que vous avez délimité auparavant. Appuyez bien.

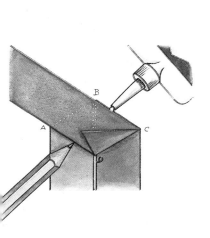

. Le début du travail est prêt. Pour les guirlandes ordinaires à deux bandes, la base est un carré; pour ce bricolage-ci, c'est un losange délimité par les angles A,B,C et D. Quand vous tresserez votre guirlande, toutes les couches vont s'empiler. Pour faciliter le tressage, il est important de bien garder en tête la position des quatre angles, comme vous le verrez par la suite.

6. Pour le tressage, commencez toujours par la bandelette qui se trouve en dessous de celle qui remonte en oblique. Dans ce cas-ci, il s'agit de la bandelette de gauche. Rabattez-la vers le haut en oblique sur le côté AD. Elle doit traverser la ligne BC.

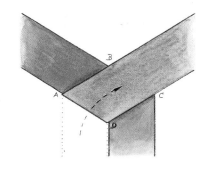

7. Comme la paire inférieure de bandelettes n'est plus complète, amenez l'autre bandelette oblique vers le bas. Rabattez-la sur la ligne AB. Elle doit traverser la ligne AD.

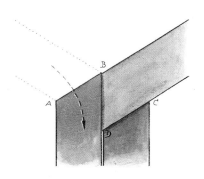

8. Répétez maintenant ces deux dernières étapes en commençant par l'autre côté. Cette fois, prenez la bandelette inférieure droite et amenez-la vers le haut, c'est-à-dire contre la ligne CD. Elle doit traverser la ligne AB.

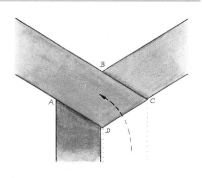

9. Vous devez toujours avoir une paire de bandelettes inférieures. Ramenez donc immédiatement la bandelette oblique de droite vers le bas. Rabattez-la sur la ligne BC pour qu'elle soit perpendiculaire à la ligne CD.

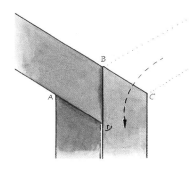

10. Maintenant, répétez continuellement ces quatre dernières étapes (6-9). Quand votre guirlande est suffisamment longue, collez les trois bandelettes l'une sur l'autre après le dernier pli. Votre guirlande sera encore plus jolie si vous ne coupez pas la partie des bandelettes qui n'est pas encore tressée et si, en plus, vous la terminez en petites franges. Vous pouvez aussi y ajouter d'autres bandelettes.

11. Pour réaliser une couronne, il suffit de coller les deux extrémités de la guirlande ensemble.

Mobiles
et ornements
pour fenêtres

Il n'y a pas de saison particulière,
pour décorer votre chambre
ou les différentes pièces de la maison.
Toute l'année durant, il peut être amusant
de confectionner des ornements
au gré de votre fantaisie.
Un mobile fixé au plafond qui se balance
au moindre courant d'air est toujours
très agréable à regarder. Et de ravissants
tableaux pourront égayer en tout temps
vos fenêtres.
Toutes les suggestions rassemblées
dans ce chapitre sont faciles à exécuter,
quel que soit votre niveau d'entraînement
en matière de bricolage.
Vous n'aurez donc que l'embarras du choix!

Nuages
et arc-en-ciel

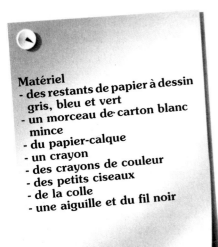

Matériel
- des restants de papier à dessin gris, bleu et vert
- un morceau de carton blanc mince
- du papier-calque
- un crayon
- des crayons de couleur
- des petits ciseaux
- de la colle
- une aiguille et du fil noir

Les symboles de ce petit mobile - la pluie, l'arc-en-ciel et le pigeon avec la branche de rameau - rappellent l'histoire biblique de l'arche de Noé.

1. A l'aide de papier-calque, commencez par reproduire deux fois le nuage de la page voisine sur du papier à dessin gris foncé.
Puis, découpez ces deux formes.

2. Incisez les deux nuages le long du trait continu vertical. L'un des deux nuages doit être incisé en partant du bord inférieur droit jusqu'au petit trait transversal et l'autre, à partir du côté arrondi jusqu'au même trait.

3. Assemblez les deux nuages en formant un angle droit.
Encollez légèrement les parties incisées afin de bien les fixer ensemble.

4. Décalquez le contour de l'arc-en-ciel sur le carton blanc et découpez-le. Coloriez les deux faces de l'arc avec des crayons de couleur. Prenez d'abord du jaune, puis du vert, du bleu et du violet et terminez à nouveau par du jaune.

5. Décalquez le corps et les ailes du pigeon sur du papier à dessin gris clair et découpez-les.

6. Faites une entaille dans le corps du pigeon en suivant le trait plein du dessin. Puis, glissez les ailes à travers cette fente. Afin d'éviter qu'elles ne glissent, fixez-les avec un peu de colle.

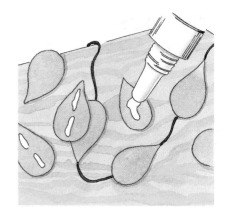

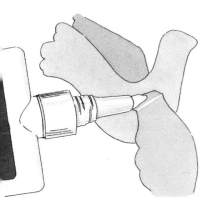

7. Décalquez la branche de rameau sur du papier à dessin vert. Découpez-la et faites de petites franges de part et d'autre de la branche.

8. Faites une incision dans le bec du pigeon et glissez la branche de rameau au travers. Fixez-la avec un peu de colle.

9. Il vous faut maintenant assembler toutes les parties. Prenez une aiguille et du fil noir. Faites passer le fil par la face arrière du pigeon et nouez l'extrémité. Ensuite, piquez au milieu de la partie interne de l'arc-en-ciel et nouez l'extrémité du fil. La longueur du fil entre le pigeon et l'arc doit être de 7 cm.

10. Faites passer le fil à travers le cercle extérieur de l'arc-en-ciel et nouez à nouveau l'extrémité. Maintenant que votre pigeon est bien attaché à l'arc-en-ciel, reliez ces deux éléments au bord inférieur des nuages.

11. Il ne manque plus que les gouttelettes de pluie. Dessinez 16 gouttes de pluie sur du papier à dessin bleu et découpez-les. Prenez un peu de fil noir et quelques gouttelettes. Enduisez l'un des côtés des gouttelettes d'un peu de colle et fixez-les sur le fil noir. A l'aide d'une aiguille, faites passer le fil à travers le bord inférieur de l'un des nuages. Piquez à 1 cm du bord et nouez l'extrémité du fil.

12. Procédez de la même manière pour coller les gouttelettes restantes sur les trois autres fils. Puis, fixez également ces fils aux trois autres bords du nuage. Coupez des fils de différentes longueurs et collez un nombre plus ou moins grand de gouttelettes sur chacun d'eux.

13. Il faut maintenant suspendre votre mobile. A l'aide de l'aiguille, faites passer un fil d'une longueur de votre choix au centre de la partie supérieure du nuage et fixez votre mobile au plafond.

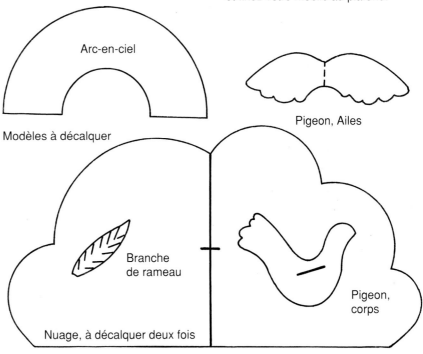

Arc-en-ciel

Modèles à décalquer

Pigeon, Ailes

Branche de rameau

Nuage, à décalquer deux fois

Pigeon, corps

Paysage estival

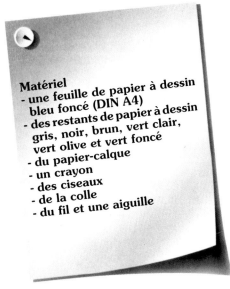

Matériel
- une feuille de papier à dessin bleu foncé (DIN A4)
- des restants de papier à dessin gris, noir, brun, vert clair, vert olive et vert foncé
- du papier-calque
- un crayon
- des ciseaux
- de la colle
- du fil et une aiguille

Ce paysage au charme paisible annonce tout en douceur l'arrivée de l'été. Seules, les deux hirondelles qui voltigent dans le ciel donnent un léger mouvement à ce tableau.

1. Tous les modèles à décalquer pour réaliser ce mobile se trouvent à la page 224 du catalogue des modèles. Commencez par décalquer deux fois le contour de l'anneau sur du papier à dessin bleu. Puis, découpez ces deux cercles et collez-les l'un sur l'autre. Ainsi le cadre de votre mobile sera plus stable.

2. Décalquez les différentes collines sur vos restants de papier à dessin et découpez-les (les couleurs des collines sont indiquées sur les modèles à décalquer).

3. Posez l'anneau sur la table et disposez les deux collines portant le chiffre 1 contre le bord inférieur interne du cercle. Ces deux éléments vont légèrement se chevaucher et leur côté arrondi va coïncider avec l'arc de cercle. Une fois que la disposition vous plaît, fixez-les avec un peu de colle.

4. Tournez le mobile et disposez les deux autres collines du côté opposé du cercle. Fixez-les également avec de la colle.

5. Décalquez le contour du tronc d'arbre et de l'hirondelle sur le papier à dessin noir selon les modèles de la page voisine. Découpez soigneusement tous ces éléments.

6. Décalquez deux fois la cime d'arbre sur un morceau de papier à dessin vert. Puis, découpez les deux cimes.

. Disposez l'une des cimes sur la table
t collez le tronc d'arbre en dessous,
uis collez l'autre cime par-dessus.
lissez l'arbre terminé entre deux col-
nes et fixez-le avec un peu de colle.

9. Maintenant, décalquez le nuage sur
du papier gris et découpez-le.

10. Il vous reste à assembler les deux
hirondelles. Incisez prudemment la tête
des oiseaux en suivant le trait rouge du
dessin. Assemblez la tête et le corps en
formant un angle droit et assemblez
ces deux parties avec un peu de colle.

11. A l'aide d'une aiguille, faites passer
un fil à travers le dos de chaque hirondelle. Puis, fixez les oiseaux à des
hauteurs différentes de part et d'autre
du bord du nuage.

12. En suivant le trait plein, faites une
fente dans le nuage. Glissez-le en angle
droit à travers le cercle et fixez-le avec
un peu de colle.

13. Attachez un fil autour de la partie
supérieure de l'anneau en papier. Votre
mobile est prêt à être suspendu au
plafond.

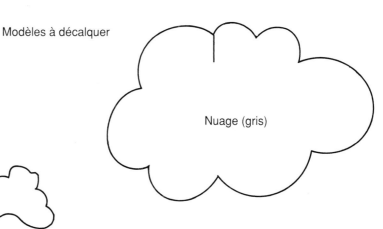

. Découpez deux buissons dans du
apier à dessin noir et vert foncé et
ollez-les de chaque côté du mobile sur
une des collines.

Modèles à décalquer

Cime d'arbre (vert olive)
à décalquer 2 fois

Nuage (gris)

Buisson (vert foncé)
à décalquer deux fois

Tronc d'arbre (noir)

Hirondelle (noir)
à décalquer deux fois.

Matériel
- **2 feuilles de papier à dessin de format DIN A4** (choisissez deux tons différents qui s'harmonisent bien)
- du papier-calque
- un crayon
- une règle
- un cutter
- des ciseaux
- une perforatrice
- de la colle
- un morceau de carton ou de vieux journaux pour protéger votre surface de travail

Pigeons à motifs

Ces ravissants pigeons au plumage bleu, rose et ocre s'harmonisent très bien avec les feuilles d'une branche d'arbre. Mais vous pouvez aussi les mélanger à un gros bouquet de fleurs.

1. A la page 220 du catalogue des modèles, vous trouverez le corps et les ailes du pigeon. A l'aide du papier-calque, commencez par reproduire le contour du corps sur le papier à dessin. N'oubliez pas de reproduire également le trait continu, le point pour la suspension ainsi que l'œil. Puis, découpez le contour du corps de l'oiseau.

2. Décalquez les ailes sur une feuille de papier à dessin d'une autre couleur et découpez-les.

3. Dessinez des petits motifs autour de la queue et du cou du pigeon. N'hésitez pas à improviser toutes sortes de graphiques. Les motifs dessinés autour du cou ne doivent pas être trop rapprochés sinon celui-ci risque de se plier.

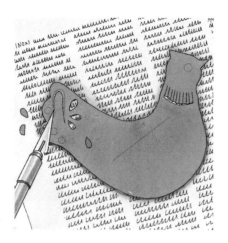

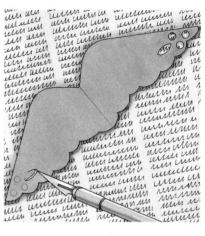

5. Placez la règle contre le trait continú du corps et incisez cette ligne à l'aide du cutter.

7. Pliez les ailes en deux et glissez-les dans la fente du corps de l'oiseau. Avant de glisser les ailes plus loin, c'est-à-dire jusqu'à ce qu'elles soient exactement de part et d'autre du corps, encollez légèrement leur ligne médiane. Pressez-les doucement contre le corps pour bien les fixer.

6. Dessinez également des motifs sur le bout des ailes et découpez-les à l'aide du cutter.

4. Posez le corps sur votre support et découpez les motifs à l'aide d'un cutter. Servez-vous de la perforatrice pour découper les formes rondes comme, par exemple, les yeux.

8. Il vous reste à suspendre votre pigeon. Prenez un long fil et une aiguille. Enfilez l'aiguille et piquez à travers le point prévu pour la suspension. Tirez sur le fil jusqu'à ce que vous ayez deux moitiés égales et nouez les extrémités ensemble.

Arbre de vie

Voici un mobile qui annonce l'arrivée des premiers jours d'automne. Les feuilles des arbres scintillent d'un bel éclat ocre, rouge et doré et les oiseaux migrateurs prennent petit à petit leur envol vers des contrées plus chaudes.

1. A l'aide de papier-calque, reproduisez la forme de base du mobile, c'est-à-dire le coeur avec l'arbre, sur du papier à dessin rouge d'après le modèle de la grande feuille du catalogue. Découpez soigneusement le contour.

2. Pour les feuilles automnales de l'arbre, dessinez 6 à 8 petites feuilles sur vos restants de papier à dessin et découpez-les.

3. Coupez votre fil en un nombre équivalent de morceaux de 1 à 2 cm de long. Collez une petite feuille à l'extrémité de chaque fil. Puis, fixez l'autre extrémité à l'une des branches de l'arbre.

4. Il ne manque plus que les trois oiseaux migrateurs. Décalquez les corps des oiseaux selon le modèle ci-dessous sur trois restants de papier à dessin de différentes couleurs. Puis, découpez-les.

5. Découpez une fente dans le corps de chaque oiseau en suivant le contour interne du modèle ci-dessous.

6. Les ailes sont faites de bandelettes de papier à dessin de 3 cm de large et de 8 cm de long. Découpez les ailes dans des papiers qui s'harmonisent bien avec le plumage de chaque pigeon.

7. Pliez votre papier à dessin en accordéon de manière à former un éventail. Rabattez l'une des extrémités de la bandelette d'environ 0,5 cm. Marquez bien ce pli. Retournez votre papier et pliez une bandelette de même dimension en sens inverse. Retournez à nouveau la feuille et pliez la bandelette suivante. Continuez de la sorte jusqu'à ce que tout le papier soit plié en accordéon.

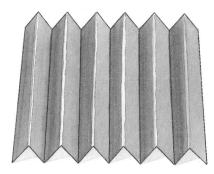

8. Glissez l'éventail terminé jusqu'en son milieu dans la fente du corps de l'oiseau. Les deux extrémités de l'éventail qui se touchent doivent ensuite être collées l'une contre l'autre. Pour suspendre l'oiseau, collez un morceau de fil au milieu de l'éventail.

9. Suspendez les oiseaux terminés aux branches de l'arbre de manière à ce qu'ils puissent tourner librement.

10. Pour terminer, enfilez votre aiguille et faites passer un long fil au milieu du bord supérieur du coeur. Il n'y a plus qu'à suspendre votre arbre de vie à l'encadrement d'une fenêtre.

Modèles à décalquer

Pissenlits suspendus

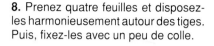

...ériel

...morceau de fil de fer fin
...7 cm)
...es tenailles
...es restants de papier à dessin
...run, jaune, vert clair, vert
...omme, vert olive et vert foncé
...une feuille de papier à croquis
...lanc
...lu papier-calque
...un crayon
...des petits ciseaux
...de la colle
...un crayon-feutre rouge
...du fil à coudre blanc

...e mobile est particulièrement délicat ...et léger. Au moindre souffle d'air les ...petites aigrettes blanches du pissenlit ...ont virevolter en tous sens.

... Pliez légèrement votre fil de fer en ...orme d'arc et recourbez les extrémités ... l'aide des tenailles. Ces deux cro...chets vous serviront à suspendre votre ...nobile.

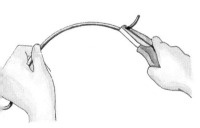

... Tous les modèles à décalquer se ...rouvent à la page 169. Commencez ...ar décalquer deux fois le fond en terre ...ur du papier brun. Découpez ces deux ...rcs et collez-les l'un contre l'autre. ...insi votre mobile aura une assise bien ...table.

3. Ensuite, décalquez les feuilles, les tiges, les bourgeons et les feuilles dentelées sur des restants de papier vert. Les différentes nuances de vert sont indiquées sur les modèles à décalquer mais vous pouvez bien sûr choisir d'autres gammes de vert.

4. Une fois que tout est découpé, assurez-vous que vous disposez bien du nombre d'éléments suivants : 3 tiges, 8 feuilles, 4 petites et 2 grandes feuilles dentelées et 2 bourgeons.

5. Décalquez deux fois la fleur éclose et la fleur en bouton sur du papier jaune et découpez-les.

6. Il ne manque plus que les aigrettes blanches et le fruit du pissenlit fâné. Décalquez-les sur votre papier à croquis blanc. Il vous faut 25 aigrettes et deux fruits. Dès que toutes ces parties sont également découpées, votre mobile est prêt à être assemblé.

7. Collez d'abord les trois tiges au milieu de l'arc en terre, comme vous le montre le dessin.

8. Prenez quatre feuilles et disposez-les harmonieusement autour des tiges. Puis, fixez-les avec un peu de colle.

9. Retournez le mobile et collez les feuilles restantes de l'autre côté de l'arc en terre.

10. Prenez les fleurs écloses et coupez des franges dans le bord arrondi. Collez l'une des moitiés de fleur sur la tige qui se trouve au centre. Puis, collez un long fil au milieu de cette moitié et collez l'autre moitié de fleur exactement sur la première. Maintenant, le fil qui sert à suspendre le pissenlit est juste au milieu de la fleur.

13. Comme le bourgeon est presque fermé, collez les deux enveloppes de chaque côté afin qu'il n'y ait plus que la pointe en fleur qui dépasse. Collez deux petites feuilles dentelées de part et d'autre de la naissance du bourgeon.

16. Collez trois aigrettes sur le fruit de la fleur. Disposez deux d'entre elles d'un côté du mobile et la troisième de l'autre.

17. Attachez le mobile au fil de fer recourbé. Pour cela, nouez le fil que vous avez collé dans la fleur éclose autour du "cintre" en fer. Dissimulez ce noeud avec quelques aigrettes.

11. Collez une feuille dentelée de part et d'autre de la tige, juste sous la naissance de la fleur.

14. Il vous reste à assembler le pissenlit fâné. Collez les deux fruits blancs de chaque côté de la tige. Dissimulez la naissance du fruit avec les deux autres feuilles dentelées.

15. Coupez des franges dans le côté arrondi de toutes les aigrettes. Au crayon-feutre rouge, dessinez un point rouge de chaque côté de la tige. Voici les graines.

12. Prenez les deux bourgeons et coupez des franges dans leur bord supérieur. Puis, collez-les l'un contre l'autre sur l'une des tiges extérieures.

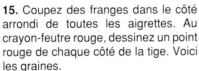

18. Coupez quatre fils de longueurs différentes et collez les aigrette restantes dessus. Nouez deux de ces fils aux extrémités du cintre en fer et attachez les deux autres de part et d'autre du fil central.

19. Pour suspendre votre mobile, il ne vous reste plus qu'à nouer un fil supplémentaire autour du milieu du cintre en fer.

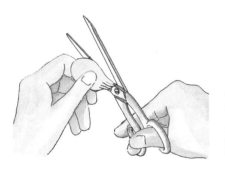

Modèles à décalquer

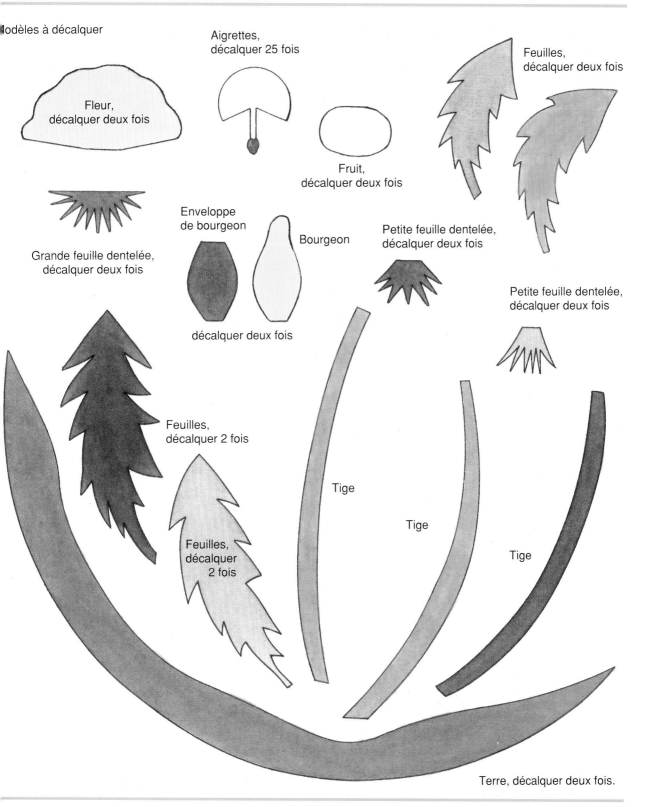

Fleur,
décalquer deux fois

Aigrettes,
décalquer 25 fois

Fruit,
décalquer deux fois

Feuilles,
décalquer deux fois

Grande feuille dentelée,
décalquer deux fois

Enveloppe
de bourgeon

Bourgeon

Petite feuille dentelée,
décalquer deux fois

décalquer deux fois

Petite feuille dentelée,
décalquer deux fois

Feuilles,
décalquer 2 fois

Feuilles,
décalquer
2 fois

Tige

Tige

Tige

Terre, décalquer deux fois.

Envol de grues

Matériel
(du papier pliant de différentes
couleurs
2 feuilles de 15 x 15 cm,
2 feuilles de 13 x 13 cm
et 6 feuilles de 12 x 12 cm)
des tiges de noisetier
des ciseaux
une aiguille et du gros fil

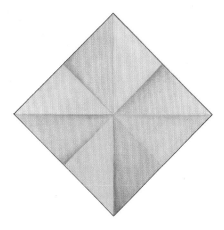

Ce mobile se distingue par l'équilibre harmonieux entre la disposition des grues et les branches de noisetier en forme de tire-bouchon. Au moindre courant d'air, les grues voltigent de haut en bas. La construction de ce mobile demande un peu d'adresse car tous le éléments doivent être bien en équilibre. Vous pouvez aussi simplement suspendre ces oiseaux décoratifs aux ramifications d'une grande branche que vous mettrez dans un vase.

1. Pliez l'une des feuilles carrées de papier pliant côté sur côté. Ouvrez le papier et pliez les deux autres côtés un sur l'autre. Dépliez à nouveau le tout.

2. Retournez la feuille et pliez-la deux fois angle sur angle. Ouvrez le papier après chaque pli. Regardez le dessin: vous avez obtenu quatre plis qui se croisent en leur milieu.

3. Tournez la feuille et appuyez avec l'index sur le point central c . Les pointes a et b vont se soulever. Prenez ces deux pointes et ramenez-les vers la pointe c. Le dessin ci-dessous vous montre la nouvelle forme obtenue.

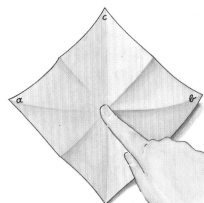

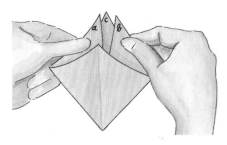

4. Posez votre pliage devant vous de sorte que les pointes ouvertes soient en dessous. Rabattez l'aile droite et l'aile gauche vers la médiane en veillant à ce que les bords de chaque aile coïncident avec cette ligne. Marquez bien les deux plis.

5. Pliez la pointe supérieure le plus loin possible au-dessus des deux ailes que vous venez de rabattre.

6. Ouvrez les trois derniers plis et prenez la pointe inférieure entre le pouce et l'index comme vous le montre le dessin.

7. Tirez cette pointe le plus loin possible vers le haut. Ses deux parties latérales vont se coucher d'elles-mêmes vers l'intérieur, contre la ligne médiane.

8. Retournez votre travail et rabattez à nouveau l'aile droite et l'aile gauche vers le haut afin qu'elles soient parallèles à la médiane.

9. Rabattez la pointe supérieure le plus loin possible au-dessus des deux ailes rabattues.

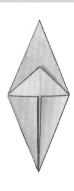

10. Ouvrez à nouveau les trois derniers plis. Tirez la pointe qui se trouve en dessous le plus loin possible vers le haut de manière à ce que les parois latérales se couchent contre la ligne médiane.

11. Pliez l'aile supérieure gauche vers la droite comme vous le montre le dessin.

12. Retournez votre travail et pliez à nouveau l'aile supérieure gauche vers la droite.

α

13. Prenez la pointe d et pliez-la vers le haut. Aplatissez bien ce dernier pli.

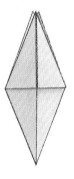

14. Retournez le papier et pliez également l'autre pointe vers le haut. Marquez le pli.

15. Votre pliage a maintenant quatre pointes. Prenez les deux pointes intérieures entre le pouce et l'index et tirez-les légèrement vers l'extérieur. Aplatissez la nouvelle forme obtenue.

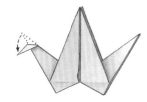

16. Recourbez l'extrémité de l'une des pointes comme vous le montre le dessin.

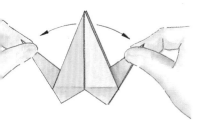

17. Pliez la pointe vers l'intérieur en suivant le pli que vous venez de former. Voici la tête de votre grue.

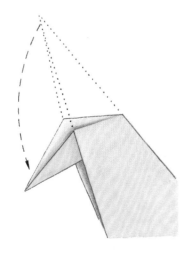

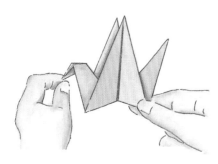

18. Pour terminer, déployez les ailes. Etirez-les à l'aide d'un crayon pour leur donner un joli mouvement ondulatoire.

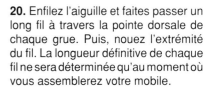

19. Pour confectionner les autres grues, procédez de la même manière avec les neuf autres carrés de papier pliant.

20. Enfilez l'aiguille et faites passer un long fil à travers la pointe dorsale de chaque grue. Puis, nouez l'extrémité du fil. La longueur définitive de chaque fil ne sera déterminée qu'au moment où vous assemblerez votre mobile.

21. L'assemblage des différents éléments du mobile est comparable à un jeu de patience car chaque tige de noisetier a une forme distincte. Pour construire votre mobile, inspirez-vous de la photo de la page 170. Assemblez les éléments en partant du bas vers le haut. Ceci vous facilitera la tâche. Raccourcissez ou prolongez les fils et faites-les glisser de part et d'autre des tiges jusqu'à ce que votre mobile soit en équilibre.

Tableau féerique

1. A la page 222 du catalogue des modèles, vous trouverez tous les éléments qui composent ce tableau féerique.

Commencez par décalquer le grand anneau et le tronc d'arbre sur le carton pour photos noir et découpez-les. Veillez à bien éclairer votre surface de travail, car les lignes décalquées n'apparaissent pas de façon très nette sur le carton sombre.

2. Puis, décalquez les contours des six collines sur le papier à dessin lilas. Les collines qui portent la même lettre doivent être de nuance identique.

3. Décalquez deux fois la cime d'arbre sur du papier à dessin lilas et découpez ces deux éléments.

4. Décalquez la petite fée sur du carton blanc et découpez-la soigneusement.

5. Posez votre anneau en carton sur l table et commencez à assembler votr tableau. Collez d'abord les collines su le bord inférieur du cercle. Prenez le trois collines qui portent le chiffre 1 e les lettres a, b, c, et collez-les par ordr alphabétique sur le bord du cercle. Le éléments vont se superposer et leu contour arrondi va s'ajuster au cercle

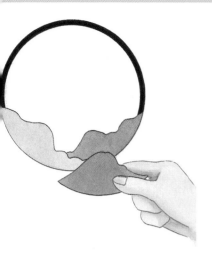

6. Retournez votre travail et collez les trois collines portant le chiffre 2 de l'autre côté en suivant également l'ordre alphabétique des lettres.

7. Prenez les deux cimes d'arbre, posez-les l'une contre l'autre et collez leur partie supérieure ensemble. Ensuite, glissez le tronc entre les deux cimes et collez les branches et les cimes ensemble.

8. Posez l'arbre terminé entre deux collines de sorte qu'une partie de la cime déborde du cercle en carton. Fixez l'arbre entre les collines et contre le bord avec un peu de colle.

9. Prenez la silhouette de la fée et votre restant de rideau. Pour la robe, découpez deux morceaux de rideau de la taille de la figurine et collez-les de part et d'autre de la fée. Froncez légèrement le tissu autour du cou.

10. Etirez doucement l'ouate pour réaliser la chevelure de la petite fée. Collez-la sur la tête de la figurine. Puis glissez la fée entre deux collines et fixez-la par les pieds avec un peu de colle.

11. Il ne manque plus que la pluie d'étoiles argentées. Coupez votre fil à coudre en quatre fils de différentes longueurs. Encollez-les et glissez-les à travers un petit monticule d'étoiles. Les étoiles vont adhérer au fil en rangs serrés.

12. Attendez que la colle soit bien sèche. Puis, collez les fils couverts d'étoiles contre le bord supérieur du cercle, juste au-dessus de la petite fée. Collez quelques petites étoiles sur les points d'attache des fils ainsi que sur le restant du cercle en carton. Ainsi le cadre de votre tableau sera joliment décoré.

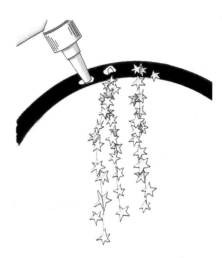

13. Collez encore quelques étoiles sur la robe de la petite fée. Il n'y a plus qu'à passer un long fil à travers le bord supérieur du cercle et à suspendre ce ravissant ornement à l'encadrement de votre fenêtre.

Pêcheur à contre-jour

Matériel
- une feuille de papier silhouette
- du papier-calque
- un crayon
- un cutter
  ou des petits ciseaux pointus
- un morceau de carton
  ou quelques vieux journaux
  pour protéger votre surface de travail
- une feuille de papier transparent bleu
- des restants de papier transparent blanc, jaune, bleu et vert
- de la colle
- une aiguille et du fil noir

Pour réaliser ce ravissant tableau, armez-vous seulement d'un peu de patience. Prenez exemple sur le petit pêcheur que vous voyez ici à contre-jour et qui parfois des heures durant, attend qu'un gros poisson vienne mordre à son hameçon.

1. Prenez le papier-calque et un crayon et posez votre papier silhouette sous le modèle qui se trouve à la page 179. Le côté blanc du papier doit être au-dessus. Reproduisez soigneusement toutes les lignes au crayon.

2. Une fois que le contour de votre tableau apparaît clairement sur la face blanche du papier silhouette, vous pouvez entamer le découpage. Prenez des petits ciseaux pointus ou un cutter. Si vous utilisez un cutter, recouvrez votre table d'un carton ou de vieux journaux. Ainsi vous éviterez de

l'abîmer. Mieux vaut commencer par découper précautionneusement toutes les parties internes et terminer par le grand cercle.

3. Quand tout est découpé, encollez la face blanche du papier silhouette et collez-le sur le papier transparent bleu. Coupez les bords de papier bleu qui dépassent.

4. Pour reproduire le miroir d'eau, posez le restant de papier bleu sur le modèle qui se trouve également à la page 179. Tracez tous les contours au crayon et découpez ce demi-cercle. Encollez la moitié inférieure de l'arrière du cadre et fixez le miroir d'eau par-dessus. Retournez votre travail: la partie inférieure du petit tableau est bleu marine. C'est le lac du pêcheur.

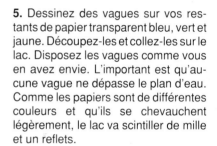

5. Dessinez des vagues sur vos restants de papier transparent bleu, vert et jaune. Découpez-les et collez-les sur le lac. Disposez les vagues comme vous en avez envie. L'important est qu'aucune vague ne dépasse le plan d'eau. Comme les papiers sont de différentes couleurs et qu'ils se chevauchent légèrement, le lac va scintiller de mille et un reflets.

6. Pour que la fleur et les feuilles du nénuphar ressortent bien, découpez le papier transparent en suivant ces contours. Tenez votre tableau contre une source lumineuse. Puis reproduisez au crayon les contours de la fleur et des feuilles sur le verso encollé du tableau. Découpez le papier transparent le long de ces traits.

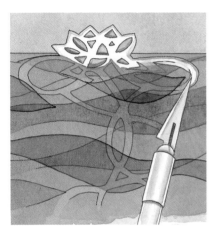

7. Collez du papier transparent blanc ou jaune derrière le contour de la fleur du nénuphar (vous pouvez aussi prendre du papier rose ou rouge pâle).

8. Prenez du papier vert et procédez de la même manière avec les feuilles du nénuphar. Veillez à recouvrir soigneusement tous les contours.

9. Décalquez les poissons sur des restants de papier silhouette. Collez-les par derrière sur le lac de sorte que le côté noir soit au-dessus par rapport au tableau. Ainsi le contour des poissons sera ombragé et flou comme dans un vrai lac.

10. Décalquez la canne à pêche, la boîte et la libellule sur un autre morceau de papier silhouette et découpez tous ces éléments.

11. Retournez votre travail et collez ces trois éléments sur la face avant du tableau de sorte que le côté noir soit au-dessus. Pour cela, encollez le verso de la canne à pêche, de la boîte et de la libellule et disposez-les au bon endroit sur le tableau.

12. Il ne manque plus que la ligne de pêche et un fil pour suspendre votre tableau. Pour la ligne de pêche, prenez un petit morceau de fil noir et enduisez-le de colle. Puis, collez-le entre la boîte et la canne en formant une grande boucle. Suspendez votre petit pêcheur à la fenêtre en faisant passer un long fil par le milieu supérieur du grand cercle noir.

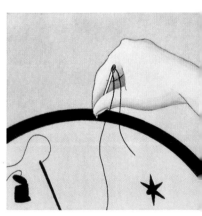

Modèles à décalquer

Lanternes
et lampions

Dès les premiers jours d'automne,
les maisons et les rues s'illuminent
un peu plus tôt. Alors pourquoi ne pas créer
une jolie lanterne multicolore pour égayer
les pièces de la maison ou pour défiler
dans les rues de votre quartier?
Dans certaines régions, il est en effet
de tradition que dès l'arrivée de l'automne,
les enfants organisent un petit cortège
à travers leur quartier avec des lanternes
et des lampions en papier.
Chacun met évidemment son point
d'honneur à réaliser lui-même sa lanterne.
En feuilletant les pages de ce chapitre,
vous vous apercevrez très vite
que fabriquer cet objet original
n'a rien de bien compliqué. Par ailleurs,
l'atmosphère d'un repas ou d'une fête
sera d'autant plus chaleureuse
si vous décorez la table ou le jardin
de ces ravissantes lanternes multicolores.

Forme de base pour lanterne

Matériel
- une boîte à fromage
  de 16 cm de diamètre
- un crayon
- une règle
- des ciseaux
- de la colle
- un petit couteau de cuisine
- un bougeoir en métal
  (en vente dans les magasins
  de bricolage)
- une bougie
- une aiguille à repriser
- un fil de fer fin
  de 30 cm de long
- du papier parcheminé,
  du papier cerf-volant
  ou du papier à dessin
  (de 52 x 25 cm)

La forme de base en papier parchemin qui est expliquée ici, vous permettra de réaliser toute une série de lanternes différentes. Vous pouvez également utiliser d'autres sortes de papier.

1. Dans toutes les épiceries, vous trouverez sûrement des boîtes à fromage vides de forme ronde ayant environ 16 cm de diamètre. Ces boîtes comportent deux parties : un fond à petit bord et un anneau supérieur de même dimension. Le "corps" de votre lanterne est fait à partir d'une boîte de ce type. Si l'anneau supérieur manque, prenez une bande en carton de 52 cm de long et de 2 cm de large et collez les extrémités ensemble.

2. A l'aide de la règle, tracez un rectangle de 25 x 52 cm sur le papier parcheminé et découpez-le. Regardez le dessin: le bord inférieur du papier parcheminé doit être collé autour du bord extérieur de la boîte. Avec un rectangle de 52 cm de long, vous pouvez faire tout le tour de la boîte.

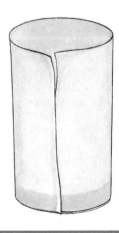

3. Collez l'anneau à l'intérieur du bord supérieur de la lanterne.

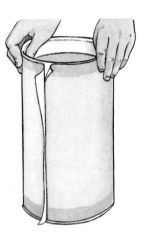

4. Pour fermer la lanterne, collez les deux bords longitudinaux du papier parcheminé ensemble.

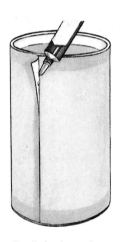

5. A vue d'oeil, évaluez plus ou moins le centre du fond de la boîte. A l'aide de la pointe du couteau de cuisine, faites-y deux petites fentes distantes d'environ 1 cm. Ainsi vous pourrez facilement glisser votre bougeoir en métal à travers la lanterne.

6. Avec le couteau, aplatissez les deux languettes du bougeoir contre la face externe du fond.

7. Une fois que le bougeoir est bien fixé, glissez une bougie de dimension adéquate à l'intérieur.

8. Pour suspendre votre lanterne, faites deux orifices dans l'anneau supérieur à l'aide de l'aiguille à repriser. Les orifices doivent être juste en face l'un de l'autre.

9. Glissez l'une des extrémités du fil de fer à travers l'un des orifices et recourbez-la d'environ 3 cm. Puis, entrelacez cette partie avec le reste du fil. Procédez de la même manière avec l'autre extrémité du fil.

10. Entrelacez le milieu du fil de fer de manière à former une boucle à travers laquelle vous pourrez glisser le bâton de votre lanterne.

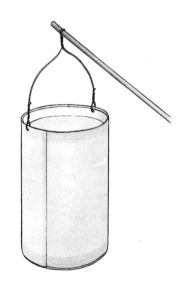

La technique du repassage et du soufflage

Matériel

La technique du repassage
- les matériaux nécessaires pour la forme de base (voir page 182-183).
- une feuille de papier parcheminé (50 x 30 cm)
- des pastels gras
- de vieux journaux
- un fer à repasser

La technique du soufflage
- les matériaux nécessaires pour la forme de base (voir page 182-183)
- une feuille de papier cerf-volant d'une couleur automnale (52 x 25 cm)
- des gouaches
- un pinceau
- une paille
- quelques vieux journaux

La technique du repassage

Cette technique vous permet d'improviser des motifs très originaux.

1. Commencez par colorier le papier parcheminé avec des pastels gras. Plus vos couches de couleur sont épaisses, plus la cire va bien se mélanger au moment du repassage.

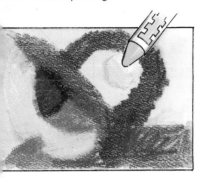

2. Une fois le coloriage de la feuille terminé, pliez-la en deux afin que les faces coloriées soient l'une contre l'autre. Posez la feuille sur une couche de vieux journaux et recouvrez-la d'une simple feuille de papier journal.

3. Réglez votre fer sur la position "coton" et passez sur la feuille de papier journal.

4. Sous l'effet de la chaleur, la cire va fondre et les couleurs vont se mélanger. Tant que la cire est encore liquide, dépliez doucement le papier parcheminé. Ainsi vous obtiendrez de ravissants motifs multicolores.

5. Terminez la lanterne selon les instructions de la page 182-183.

La technique du soufflage

Comme vous avez choisi un papier cerf-volant d'une couleur automnale, les parties qui n'ont pas été coloriées vont ressortir avec beaucoup d'éclat.

1. Recouvrez votre surface de travail de vieux journaux et posez le papier cerf-volant par-dessus.

2. Diluez vos gouaches à l'aide d'un pinceau et d'un peu d'eau. Commencez par du brun.

3. Une fois que vous avez une quantité suffisante de couleur diluée, prenez un pinceau et faites couler une grosse tache sur le bord inférieur du papier cerf-volant.

4. Posez l'une des extrémités de la paille contre la tache brune et soufflez à travers l'orifice opposé. Au moindre souffle, la couleur va commencer à se répandre. En modifiant l'orientation de la paille, vous pouvez déterminer le tracé de la couleur. A partir de la grosse tache brune, vous pouvez ainsi "souffler" un tronc d'arbre et des branches avec de nombreuses ramifications. Les branches peuvent s'étendre jusqu'au bord supérieur du papier cerf-volant.

5. Faites de grosses taches de couleur le long du bord inférieur du papier, partout où vous voulez souffler un arbre.

6. Ensuite, diluez la gouache verte et faites des taches tout le long du bord inférieur. A l'aide de la paille, soufflez légèrement la couleur vers le haut. Vos arbres ont maintenant l'air d'être au milieu d'une belle prairie verte.

7. Il vous reste à recouvrir vos arbres de feuilles automnales. A l'aide du pinceau, faites des taches vertes, jaunes et rouges entre les branches.

8. Quand tout est bien sec, achevez votre lanterne selon les instructions de la page 182-183. La face peinte du papier doit être à l'extérieur.

Lanterne à motifs perforés

Matériel
- les matériaux nécessaires pour la forme de base (voir page 182-183)
- une feuille de papier à dessin (52 x 25 cm)
- du papier-calque
- un crayon
- une feuille de papier blanc
- une grosse aiguille à repriser
- un morceau de liège ou de feutre ou des vieux journaux pour protéger votre table de travail

Voici une lanterne particulièrement somptueuse. Bricolez-la à l'occasion de la fête de Noël ou du réveillon du jour de l'An, par exemple. A la différence de la plupart des autres lanternes, le papier utilisé ici n'est pas transparent. Seuls les motifs perforés laissent passer la lumière.

1. A l'aide de papier-calque, reproduisez les modèles de la page voisine sur du papier blanc. Voici tous les ornements qui devront être perforés par la suite.

2. Ensuite, décalquez ces motifs sur votre feuille de papier à dessin. Le bord supérieur de la lanterne est composé de neuf boucles juxtaposées. L'ornement inférieur est constitué de quatre motifs fleuris. Vous pouvez naturellement l'étoffer davantage en ajoutant quelques feuilles. Veillez cependant à laisser d'un côté un bord vierge d'environ 0,5 cm afin de pouvoir le coller à l'autre côté.

0,5 cm

3. Les ornements supérieurs et inférieurs doivent être reproduits à 2,5 cm de chacun des bords. Cet espace correspond à la largeur du fond et de l'anneau de la boîte à fromage qui seront collés par la suite à l'intérieur de la lanterne. Si vous perforez des motifs dans cet espace, ils ne seront donc pas visibles.

4. L'agencement des étoiles autour du milieu de votre lanterne peut se faire de diverses manières et l'intérieur des branches peut être perforé au gré de votre fantaisie.

5. Une fois que vous avez reproduit les trois ornements sur la feuille de papier à dessin, posez-la sur votre support. A l'aide de l'aiguille, faites de petits orifices le long de tous les contours. Votre support doit être suffisamment robuste, sinon votre papier à dessin risque de se déchirer.

6. Une fois que tous les motifs perforés sont terminés, achevez la lanterne selon les instructions de la page 182-183.

2,5 cm

0,5 cm

Modèles à décalquer

Lanterne
à étoiles

Matériel
- les matériaux nécessaires pour la forme de base de la page 182-183.
- une feuille de papier à dessin (de 52 x 25cm)
- un compas ou des pièces de monnaie
- un crayon
- des petits ciseaux pointus

A première vue, cette lanterne n'a rien de magique. Mais dès que la bougie à l'intérieur est allumée, toutes les étoiles scintillent du plus bel éclat et se reflètent dans toute la pièce.

1. A l'aide du compas, tracez des tas de cercles de différentes grandeurs sur toute la surface de la feuille de papier à dessin. Veillez cependant à laisser au-dessus et en dessous un bord vierge de 2,5 cm de manière à pouvoir fixer par la suite le fond et l'anneau de la boîte à fromage. Si vous n'avez pas de compas, prenez des pièces de monnaie de différentes grandeurs.

2. Avec vos ciseaux pointus, piquez au centre de l'un des cercles et faites une entaille en ligne droite jusqu'à la circonférence. Puis, faites trois autres fentes de la même manière afin que votre cercle soit divisé en quatre quartiers.

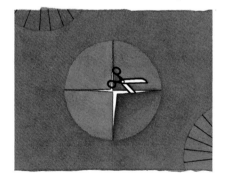

3. Découpez chacun des quartiers en fines bandelettes.

4. Procédez de façon identique avec tous les autres cercles.

5. Retournez votre feuille de manière à ce que les contours tracés au crayon soient en dessous. Ensuite, rabattez toutes les bandelettes de chaque cercle le plus loin possible vers l'extérieur.

6. Puis, repliez-les à nouveau vers le centre. Elles vont légèrement s'écarter vers l'extérieur tout en prenant une forme étoilée.

7. Une fois que tous vos cercles ont été pliés de la même façon, terminez la lanterne en suivant les instructions de la page 182-183. La face de la feuille avec les étoiles en relief doit être à l'extérieur.

Matériel
une bande en carton
assez flexible (de 70 x 18 cm)
des feuilles de papier
cerf-volant jaune, orange,
rouge claire et rouge foncé
- un compas
- un crayon
- de la colle
- des ciseaux
- une règle
- un petit couteau de cuisine
- un bougeoir en métal
  (en vente dans les magasins
  de bricolage)
- un fil de fer assez mince
  de 30 cm de long

Lanterne solaire

Ce grand soleil illuminera à merveille toutes vos soirées hivernales. Et si vous allumez cette lanterne, dès que la lune et les étoiles apparaitront dans le ciel, vous aurez l'impression d'avoir réuni tous les astres.

1. Réglez votre compas sur un rayon de 15 cm et tracez deux cercles sur le papier cerf-volant jaune. Vos cercles ont donc un diamètre de 30 cm.

2. Pour le visage du soleil, tracez un cercle de 10 cm de diamètre à l'intérieur de chacun des grands cercles. Vous devez donc régler votre compas sur un rayon de 5 cm. Puis, découpez les deux grands cercles.

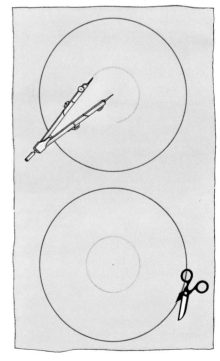

3. Déchirez le papier cerf-volant rouge et orange et le restant de papier jaune en petites bandelettes. Elles doivent avoir 1 à 2 cm de large et 3 à 9 cm de long. Ce sont les rayons de votre soleil.

4. Disposez les rayons autour du visage de chaque soleil, c'est-à-dire autour des petits cercles. Avant de les fixer avec de la colle, assurez-vous que les différents tons s'harmonisent bien. Si nécessaire, modifiez l'agencement des rayons ou ajoutez-en d'autres. N'hésitez pas à superposer quelques rayons pour obtenir des nuances supplémentaires. Votre lanterne sera d'autant plus réussie si vous répartissez harmonieusement les petites et les grandes bandelettes de papier.

5. Une fois que tous les rayons sont bien agencés, collez-les l'un après l'autre autour des cercles des deux soleils. Les deux faces de votre lanterne sont ainsi terminées. Les yeux et la bouche seront ajoutés tout à la fin.

6. La paroi externe de la lanterne est faite d'une bande de carton de 70 cm de long et de 18 cm de large. Pour déterminer l'emplacement du bougeoir, faites une croix au centre de la bande. Vous devez donc mesurer 35 cm en longueur et 9 cm en largeur.

7. A l'aide de la règle, tracez ensuite un bord de 3 cm de chaque côté longitudinal de la bandelette. Incisez légèrement ces lignes au couteau. Ainsi vous pourrez facilement rabattre ces bords par la suite.

8. Découpez les bords de la bande cartonnée en zigzag, comme vous le montre le dessin.

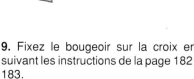

9. Fixez le bougeoir sur la croix en suivant les instructions de la page 182 183.

10. Pliez les triangles des bords en zigzag vers le haut, le long des deux lignes que vous avez incisées préalablement.

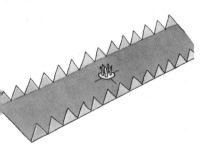

11. Vous devez maintenant assembler tous les éléments de votre lanterne. Pour cela, encollez la face externe des trois premières pointes de la bande en zigzag. Puis, posez l'un de vos soleils sur la table de sorte que le visage soit en dessous et pressez les trois pointes contre le bord. Continuez à appuyer durant quelques instants sur les pointes afin que la bande s'arrondisse bien tout en adhérant au soleil.

12. Une fois que la colle est sèche, enduisez les trois pointes suivantes de la bande et collez-les également contre le bord du soleil. Continuez de la sorte jusqu'à ce que toute la bande en zigzag soit fixée autour du soleil. L'ouverture qui subsiste au milieu du bord supérieur vous servira par la suite pour glisser votre bougie à l'intérieur de la lanterne.

13. Il vous reste à fixer le deuxième soleil contre l'autre face de la lanterne. Le visage doit naturellement aussi être à l'extérieur. Comme votre lanterne a déjà une forme arrondie, vous pouvez encoller toutes les pointes à la fois et fixer le soleil par-dessus.

14. Déchirez votre papier cerf-volant rouge en petits morceaux pour former les bouches et les yeux des deux soleils. Pour que votre lanterne soit encore plus décorative, recouvrez la paroi arrondie d'une bande de papier de couleur.

15. Il ne manque plus que le fil de fer pour suspendre votre soleil. Fixez-le de part et d'autre de la bande en carton selon les instructions de la page 182-183.

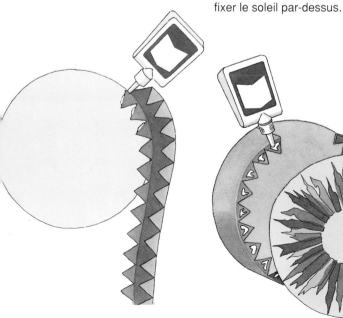

Lampe à motifs contrastés

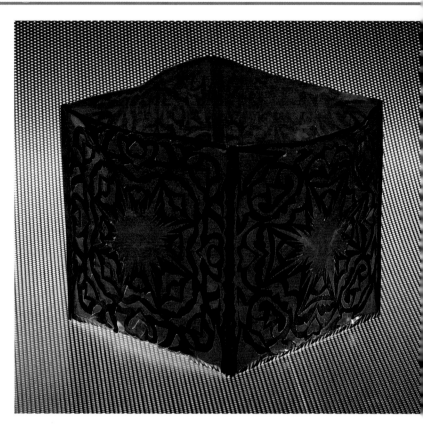

Cette ravissante lampe au motif étoilé est particulièrement décorative. Une fois allumée, elle diffuse une belle lumière tamisée.

1. La forme de base de cette lampe est faite de 5 carrés de papier cerf-volant de 16 cm de côté. A l'aide de la règle et du crayon, tracez deux rectangles sur votre feuille de papier cerf-volant. Les dimensions des rectangles sont indiquées sur le dessin ci-dessous.

2. A l'aide de la règle, divisez le grand rectangle A en trois parties de 16 cm de large. Puis, tracez une ligne à 0,5 cm de chaque côté longitudinal, comme vous le montre le dessin. Les formes de base pour le fond et pour deux des parois latérales de la lampe sont ainsi obtenues. Les deux bords longitudinaux vous serviront à coller les différentes parties ensemble.

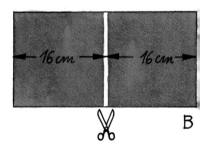

B

4. Découpez les deux rectangles. Le grand doit rester entier, tandis que le petit peut directement être découpé en deux carrés. Mettez momentanément ces deux carrés de côté.

5. Prenez le morceau de carton carré et encollez l'une des faces. Ensuite, col lez le carton sur le carré central du grand rectangle (voir le dessin).

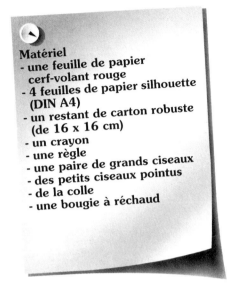

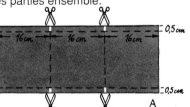

A

3. Divisez le petit rectangle B en deux de manière à obtenir deux carrés de 16 cm de côté. Voici les deux autres parois de la lampe.

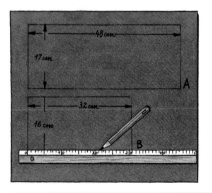

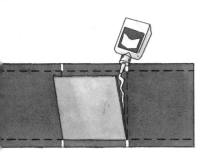

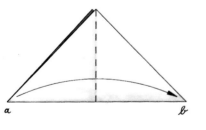

10. Dessinez un motif au crayon et découpez-le. Inspirez-vous du dessin ci-dessous. Veillez cependant à ne pas couper dans le bord ouvert car sinon votre motif ne sera pas bien encadré.

13. Encollez les extrémités des bords qui se chevauchent et collez-les l'une contre l'autre. Veuillez toujours à ce que les parois latérales restent bien à angle droit.

6. Découpez 4 carrés de 16 cm de côté dans votre feuille de papier silhouette.

7. Prenez l'un des carrés et pliez-le en diagonale, c'est-à-dire angle sur angle. La face noire du papier doit être à l'intérieur.

8. Pliez la pointe a sur la pointe b et marquez bien ce pli avec l'ongle du doigt.

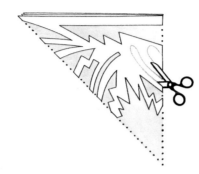

14. Pour terminer, encollez entièrement les bords et collez les deux autres parois latérales entre les précédentes. Les motifs en papier silhouette doivent être à l'extérieur.

11. Quand vos quatre motifs en papier silhouette sont terminés, collez-les sur les carrés de papier cerf-volant de manière à ce que le côté noir soit à l'extérieur.

12. Prenez le grand triangle et faites une entaille le long des petits traits blancs qui sont perpendiculaires aux côtés longitudinaux (voir le dessin ci-dessous). Rabattez les bords et les deux parois latérales vers le haut. Les parois doivent former un angle de 90° avec le fond.

15. Vous pouvez consolider davantage les bords de la lampe avec quatre petites charpentes en papier silhouette. Pour cela découpez quatre bandelettes de 16 cm de long et de 1 cm de large et pliez-les en deux dans le sens de la longueur. Ensuite, collez-les contre chaque bord de la lampe, comme vous le voyez sur le dessin ci-dessous. Il ne vous reste plus qu'à allumer la petite bougie qui se trouve à l'intérieur.

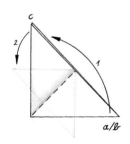

9. Ensuite, pliez la pointe a/b exactement sur la pointe c.
Tournez votre travail afin que les côtés ouverts soient à l'horizontale.

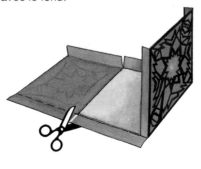

Décorations pour la fête de Noël

Dans bien des familles, il est de tradition
de décorer les murs et les fenêtres
de la maison à l'approche de Noël.
Chacun apporte sa propre contribution
aux préparatifs de la fête.
Dans ce chapitre, vous trouverez
de nombreuses suggestions d'ornements
à bricoler vous-même. Et pourquoi ne pas
organiser une petite séance de bricolage
avec vos amis ? Vous aurez certainement
beaucoup de plaisir à confectionner
tous ensemble des étoiles scintillantes,
des anges en papier doré
ou un joli tableau enneigé.

Matériel
Etoile en papier de soie
- une feuille de papier
  de soie blanc
- un crayon
- une règle
- des ciseaux
- de la colle
- du papier collant transparent

Père Noël
- une feuille de papier
  à dessin rouge (de 17 x 17 cm)
- un crayon
- une règle
- des ciseaux
- du papier-calque
- une feuille de papier blanc
- de la colle
- des crayons-feutres noir
  et rouge

Père Noël en papier de soie

Durant la période qui précède Noël, il est souvent agréable de convier des amis à un petit goûter, car le temps semble parfois bien long jusqu'au 24 décembre. Ce Père Noël est un carton d'invitation très original auquel chaque invité répondra certainement avec enthousiasme. Et pendant le goûter, vous pouvez même vous amuser à bricoler tous ensemble la belle étoile blanche en papier de soie.

Carte en forme de Père Noël

1. Pliez la feuille de papier à dessin rouge en diagonale et posez-la sur la table de manière à ce que la pointe ouverte soit en bas.

2. A l'aide de la règle, mesurez 17 cm le long du bord supérieur du triangle et reliez ce point avec la pointe inférieure. Coupez le papier le long de ce trait pour obtenir le chapeau pointu du Père Noël.

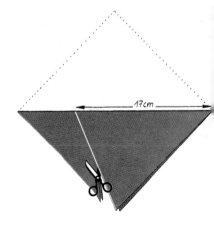

17cm

3. Décalquez la tête du Père Noël sur votre papier blanc et découpez-la (voyez le modèle de la tête ci-dessous).

4. Prenez vos crayons-feutres noir et rouge et dessinez les yeux, le nez et la bouche. Pour la barbe, entaillez tous les traits internes de la tête du Père Noël (voir le modèle ci- dessous).

5. Encollez la face arrière de la tête, excepté la barbe. Puis, collez-la sur la moitié inférieure de la carte et soulevez doucement les poils de barbe.

6. Inscrivez directement le texte de votre invitation sur le volet intérieur de la carte ou rédigez-le sur un feuillet que vous collerez à l'intérieur.

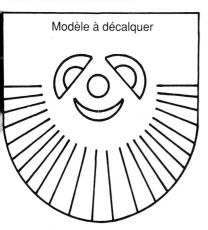

Modèle à décalquer

Etoile en papier de soie

1. A l'aide du crayon et de la règle, tracez huit bandelettes de 4 cm de large et de 10 cm de long sur le papier de soie et découpez-les.

2. Prenez la première bandelette et pliez-la en deux dans le sens de la longueur.

3. Ouvrez à nouveau le papier et pliez les quatre pointes jusqu'à la ligne médiane comme vous le montre le dessin.

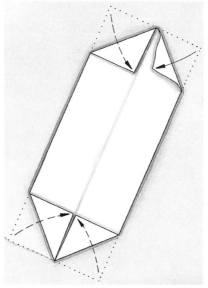

4. Pliez une seconde fois les deux pointes a et b jusqu'à la ligne médiane.

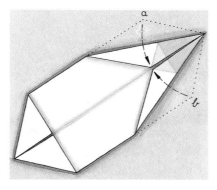

5. Maintenant, pliez les pointes c et d jusqu'à la médiane et marquez bien ce pli. La première branche de l'étoile est terminée. Confectionnez les sept autres branches de la même manière.

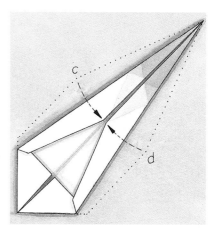

6. Encollez l'extrémité triangulaire de chaque branche et collez-les l'une contre l'autre en suivant le sens des aiguilles d'une montre.

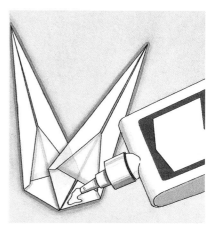

7. Fixez l'étoile terminée contre la fenêtre avec un peu de papier collant transparent.

Etoiles en relief

La forme pliée qui est à la base de cette étoile est connue dans certaines régions sous le nom de "ciel et enfer".

Pour confectionner une étoile en relief, vous avez besoin de six formes "ciel et enfer".

1. Pliez une feuille carrée de papier doré en deux. Ouvrez-la et pliez les deux autres côtés l'un sur l'autre. Dépliez à nouveau votre papier. Regardez le dessin: vous avez obtenu quatre carrés de même dimension.

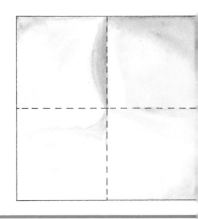

2. Repliez les quatre coins, l'un après l'autre, vers le centre, comme vous le montre le dessin. Vous avez à nouveau obtenu un carré. Retournez-le afin que les coins non repliés soient sur la table.

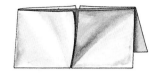

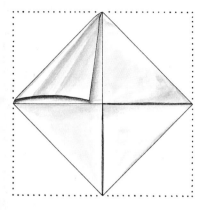

3. Repliez à nouveau les quatre coins vers le centre pour obtenir un autre carré de dimension inférieure. Si vous retournez ce carré, vous constaterez que vous avez obtenu quatre "poches carrées".

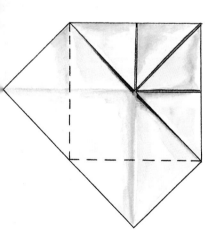

4. Pliez la forme transversalement et verticalement en son milieu. Ainsi il vous sera plus facile de la déplier par la suite.

5. Glissez le pouce et l'index de chaque main dans l'une des poches. Votre première forme est terminée. Confectionnez cinq autres formes de la même manière.

6. Collez quatre formes l'une contre l'autre. Assemblez-les en formant une sorte d'anneau. Pour cela, encollez la moitié de la face externe de deux poches adjacentes de la première forme.

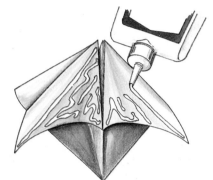

7. Prenez la seconde forme et collez-la contre les poches de la première, comme vous l'indique le dessin ci-dessous. Appuyez sur les poches jusqu'à ce que la colle se soit bien solidifiée.

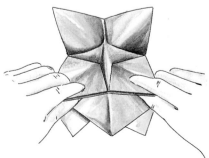

8. Collez les deux autres formes de la même manière contre les premières. Regardez bien le dessin: la dernière forme doit fermer l'anneau.

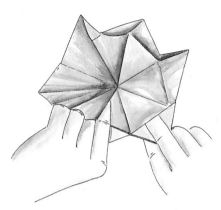

9. Posez l'anneau sur la table et enduisez la face supérieure de colle. Puis, fixez une autre forme par-dessus. Dès que la colle est sèche, retournez votre travail et collez la dernière forme de l'autre côté de l'anneau.

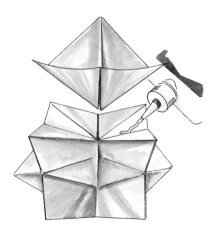

10. Pour terminer, faites passer un fil par l'une des pointes et suspendez votre étoile.

Matériel
- un morceau de carton robuste (de 65 x 40 cm)
- deux feuilles de papier à dessin bleu ciel (de format DIN A4)
- une soixantaine de petites étoiles blanches (en vente dans les magasins de bricolage)
- 24 feuilles de papier blanc (de format DIN A4)
- un crayon
- une règle
- des ciseaux
- de l'ouate
- de la colle
- une aiguille et du fil

Calendrier de l'Avent en forme de nuage

Les 24 flocons de neige suspendus à ce gros nuage correspondent aux quatre semaines de l'Avent. Fixez ce joli calendrier au mur de votre chambre et détachez chaque jour un flocon d'ouate. Et si, de plus, vous dissimulez une petite surprise à l'intérieur de chaque flocon, vous aurez encore plus de plaisir à consulter chaque jour votre calendrier.

1. Pour confectionner le grand nuage, prenez du carton robuste puisque, par la suite, vous devrez y suspendre 24 petits paquets enrobés d'ouate. Prenez votre crayon et décalquez le contour du nuage sur votre carton. Inspirez-vous de la photo de la page voisine. La grandeur du nuage sera fonction de la grandeur de votre morceau de carton. Ensuite, découpez le nuage.

2. Posez le nuage sur votre papier à dessin et tracez les contours au crayon. Découpez également cette forme. Comme vous devrez recouvrir les deux côtés du carton, découpez un second nuage dans le papier à dessin bleu. Encollez les deux faces du nuage en carton et recouvrez-les avec les deux nuages en papier bleu.

3. Décorez la face avant et la face arrière du nuage de petites étoiles blanches.

4. Pour confectionner les petits paquets d'ouate, tracez 48 carrés de 12 cm de côté sur vos feuilles de papier blanc. Vous pouvez réaliser deux carrés par feuille de format DIN A4. Pour vous faciliter la tâche, confectionnez un carré en carton de 12 cm de côté et reproduisez les 48 carrés à partir de ce modèle.

5. Vous devez maintenant plier tous vos carrés en forme de boîte. Voici comment procéder. Prenez le premier carré et pliez-le en deux, d'abord dans le sens de la largeur, puis dans le sens de la longueur. Ouvrez votre papier après chaque pli.

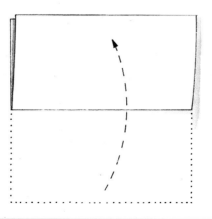

6. Ensuite, pliez les quatre coins du carré vers le centre.

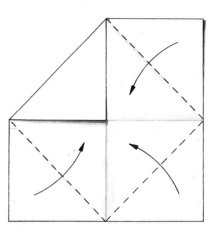

7. N'ouvrez pas ce pliage, mais pliez deux côtés opposés jusqu'à la ligne médiane et marquez bien ce pli. Dépliez à nouveau ces deux côtés et procédez de la même façon avec les deux autres côtés. Puis, dépliez entièrement votre carré.

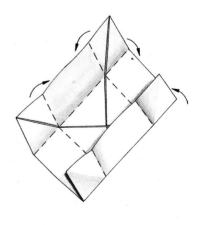

8. Pour obtenir une boîte, faites quatre incisions dans le carré en suivant les lignes grasses du dessin.

9. Pliez le coin supérieur droit et le coin inférieur gauche jusqu'au centre.

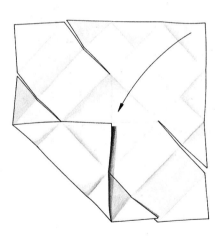

10. Les parties hachurées du dessin doivent être redressées à la verticale par rapport au fond de la boîte. Les quatre pointes de ces parties qui dépassent doivent être rabattues vers l'intérieur et disposées l'une à côté de l'autre (voir les flèches du dessin).

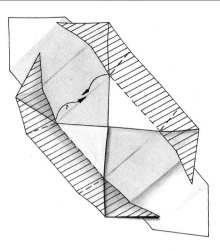

11. Les deux autres pointes qui dépassent encore, doivent être repliées au-dessus du bord de la boîte jusqu'au centre. Pressez bien les bords de la boîte entre vos doigts afin qu'ils restent bien droits. Les quatre pointes se rejoignent toutes au centre du carré et doivent être fixées avec un peu de colle.

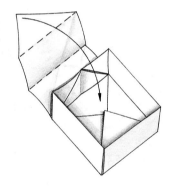

12. Confectionnez les 47 autres boîtes selon le même procédé. Dissimulez des petites surprises dans 24 d'entre elles et utilisez les 24 autres comme couvercles.

13. Une fois que vos boîtes sont garnies et fermées, enduisez-les toutes de colle et recouvrez-les d'ouate.

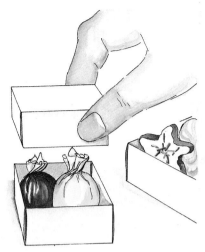

14. Enfilez l'aiguille et nouez l'une des extrémités du fil. Piquez à travers la première boîte. Puis, faites passer le même fil à travers deux autres boîtes. Le fil doit, maintenant, être fixé au nuage. Pour cela, passez l'aiguille à travers le bord inférieur, tirez sur le fil et nouez-le derrière le nuage.

15. Enfilez de la même manière les 24 boîtes recouvertes d'ouate. Répartissez-les sur 6 fils de différentes longueurs et fixez-les toutes le long du nuage. Attachez les fils les plus longs, et donc les plus chargés en flocons au milieu et fixez les fils plus courts à chaque extrémité. De cette manière votre disposition sera très harmonieuse.

16. Durant la période de l'Avent, coupez chaque jour une petite boîte. Ainsi le nombre de flocons diminuera de jour en jour.

Vitrail

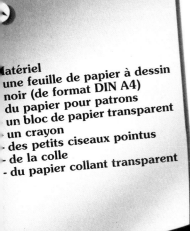

Voici un ornement pour fenêtre qui ressemble à s'y méprendre aux vitraux multicolores à résille de plomb de certaines cathédrales. La Vierge et l'Enfant qui sont représentés ici, symbolisent particulièrement bien la période de Noël. Mais selon le même principe, vous pouvez bien sûr réaliser des vitraux à motifs très différents.

1. A l'aide du papier pour patrons, décalquez le motif du vitrail sur votre papier à dessin noir, d'après le modèle de la grande feuille du catalogue. Les traits reproduits avec du papier pour patrons vont apparaître en blanc sur le papier noir. Si vous n'avez pas de papier pour patrons, prenez du papier calque. Comme les traits foncés ne vont pas bien ressortir sur le papier noir, veillez à bien éclairer votre surface de travail.

2. Découpez soigneusement toutes les surfaces de papier qui se trouvent entre les réseaux de lignes noires.

3. Tous les espaces vides doivent être recouverts de papier transparent. Posez la feuille de papier à dessin sur un morceau de papier transparent d'une couleur de votre choix et reproduisez le contour de l'un des espaces au crayon. Découpez cette forme et collez-la par derrière contre l'espace vide correspondant.

4. Si vous collez plusieurs papiers l'un sur l'autre, vous obtiendrez des nuances de tons plus sombres. Pour le choix des couleurs, inspirez-vous de la photo ci-dessus. Mais vous pouvez évidemment choisir d'autres tons qui vous plaisent.

5. Une fois votre vitrail terminé, fixez-le à votre fenêtre avec du papier collant transparent.

Etoile bicolore

Le papier doré double face existe dans différentes combinaisons de tons. Ce papier se prête à merveille pour confectionner de belles étoiles de Noël. Il suffit de le plier d'une certaine manière pour obtenir des étoiles bicolores.

1. A l'aide de la règle et du crayon, tracez un carré de 12 cm de côté sur votre papier doré et découpez-le.

2. Pliez le carré en diagonale, donc angle sur angle.

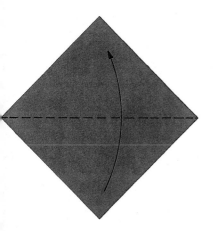

3. Repliez la pointe a exactement sur la pointe b.

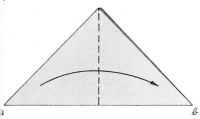

4. Ensuite, repliez les pointes a/b, sur la pointe c.

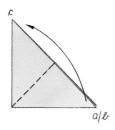

5. Posez le triangle ainsi obtenu sur la table de sorte que le côté ouvert soit à l'horizontale.

6. Pour obtenir la forme étoilée, coupez un triangle assez étroit en partant du côté fermé du pliage jusqu'à la pointe supérieure ouverte. Procédez comme vous le montre le dessin ci-dessous.

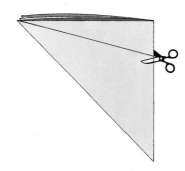

7. En partant du côté fermé, faites plusieurs incisions dans le triangle. Les fentes doivent être parallèles à la base du triangle et plus ou moins de même largeur. Ne coupez pas entièrement à travers la forme. Laissez un petit bord du côté ouvert.

8. Déployez prudemment l'étoile. Si vous avez bien suivi toutes les instructions, votre étoile doit ressembler à celle du dessin ci-contre.

9. Pour que l'étoile soit bicolore, vous devez rabattre la moitié des fentes en pointe vers le haut. Choisissez l'un des quatre champs de l'étoile et rabattez vers le haut la longue pointe qui se trouve le plus près du centre.

10. Laissez la pointe suivante à plat et rabattez à nouveau la troisième vers le haut. Continuez de la sorte jusqu'au bord du champ.

11. Procédez de la même manière avec les trois autres champs de l'étoile.

12. Pour terminer, aplatissez bien l'étoile et suspendez-la à un fil.

Mobile d'anges

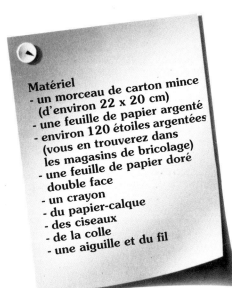

Matériel
- un morceau de carton mince (d'environ 22 x 20 cm)
- une feuille de papier argenté
- environ 120 étoiles argentées (vous en trouverez dans les magasins de bricolage)
- une feuille de papier doré double face
- un crayon
- du papier-calque
- des ciseaux
- de la colle
- une aiguille et du fil

Cette chorale d'anges venue tout droit du ciel est le signe que la fête de Noël approche à grands pas. Ce mobile scintillant est très facile à réaliser.

1. A la page 221 du catalogue vous trouverez le grand nuage. A l'aide du crayon et de papier-calque, reportez-le deux fois sur votre morceau de carton. Reproduisez également les lignes internes des nuages, car vous devrez les inciser par la suite.

2. Découpez les deux nuages et incisez-les le long du trait vertical. L'un des nuages doit être incisé à partir du bord droit, et l'autre à partir du côté arrondi, comme vous le montre le dessin. Ces fentes vous serviront par la suite pour assembler les nuages.

3. Posez les deux nuages sur le papier argenté et tracez leur contour au crayon. Puis, retournez-les et reproduisez une nouvelle fois leur contour. Découpez toutes ces formes.

4. Encollez les deux faces de chaque nuage et recouvrez-les avec les formes en papier argenté. Entaillez le papier argenté le long des fentes coupées dans la forme en carton. Ensuite, décorez les deux faces des nuages de petites étoiles.

Modèles à décalquer

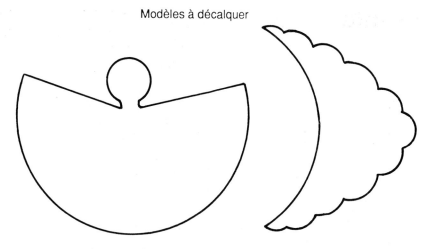

6. Pendant que la colle sèche, décalquez neuf fois l'ange et les ailes sur le papier doré, selon les modèles ci-dessus. Découpez toutes ces parties.

7. Etendez un peu de colle sur l'un des côtés de la toge de l'ange et collez-la en formant une sorte de petit cornet.

5. Assemblez les deux nuages à angle droit et fixez-les avec un peu de colle.

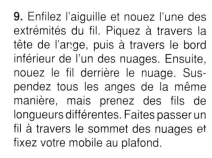

9. Enfilez l'aiguille et nouez l'une des extrémités du fil. Piquez à travers la tête de l'ange, puis à travers le bord inférieur de l'un des nuages. Ensuite, nouez le fil derrière le nuage. Suspendez tous les anges de la même manière, mais prenez des fils de longueurs différentes. Faites passer un fil à travers le sommet des nuages et fixez votre mobile au plafond.

8. Prenez une paire d'ailes et collez-la contre le dos de l'ange, à l'endroit où les deux côtés de la toge se rejoignent. Les pointes des ailes doivent être au-dessus. Confectionnez tous les autres anges de la même manière.

Paysage enneigé

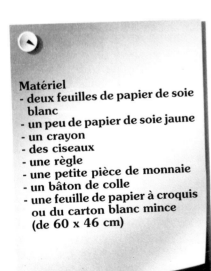

Matériel
- **deux feuilles de papier de soie blanc**
- **un peu de papier de soie jaune**
- **un crayon**
- **des ciseaux**
- **une règle**
- **une petite pièce de monnaie**
- **un bâton de colle**
- **une feuille de papier à croquis ou du carton blanc mince (de 60 x 46 cm)**

Si l'hiver est doux et que les premières chutes de neige se font attendre, confectionnez vite ce charmant tableau hivernal. Une fois que vous l'aurez fixé contre la fenêtre, vous aurez au moins l'illusion d'un Noël blanc.

1. Posez l'une de vos feuilles de papier de soie sur les six collines de la grande feuille du catalogue des modèles. Décalquez tous les contours au crayon et découpez les collines.

2. Posez la deuxième feuille de papier de soie sur la table. Puis, encollez légèrement l'une des faces de chaque colline à l'aide du bâton de colle. Faites très attention à ne pas déchirer le papier de soie. Collez, ensuite, les collines sur la deuxième feuille. L'ordre

selon lequel vous devez les disposer est indiqué sur les modèles de la grande feuille du catalogue.
Comme les collines vont légèrement se chevaucher et se confondre l'une avec l'autre, vous obtiendrez des nuances de tons très douces allant du blanc au gris.

3. Tous les autre modèles à décalquer se trouvent à la page voisine. Posez un petit morceau de papier de soie sur la maisonnette. Reproduisez tous les contours et collez-la avec la porte, les fenêtres et la cheminée sur la colline 4. Référez-vous au dessin ci-dessus. Collez deux petites bandes de papier de soie jaune à l'intérieur des fenêtres. Ainsi la petite maison aura l'air d'être illuminée.

4. Décalquez 11 fois le contour du sapin sur des restants de papier de soie et découpez-les. Répartissez-les, ensuite, entre les collines de votre tableau. Vous pouvez évidemment agencer les sapins au gré de votre fantaisie.

5. Maintenant, décalquez l'auréole ovale du soleil hivernal sur du papier de soie jaune, d'après le modèle ci-contre. A l'aide de votre pièce de monnaie, reproduisez le contour du soleil. Découpez ces deux formes. Collez l'auréole sur le ciel et fixez le soleil à l'intérieur de cette forme.

6. Décalquez quelques nuages sur du papier de soie blanc et encollez l'une de leur face avec le bâton de colle. Ensuite, répartissez-les dans le ciel.

7. Il ne vous reste plus qu'à encadrer votre tableau.
Prenez votre feuille de papier à croquis blanc et procédez comme vous le montre le dessin ci-dessous: découpez le rectangle intérieur et collez votre paysage par l'arrière contre ce cadre.

Auréole solaire

Nuage

Cheminée

Maison

Sapin

Toit

Nuage

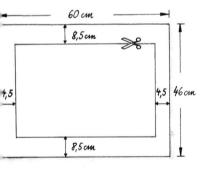

60 cm

8,5 cm

4,5

4,5

46 cm

8,5 cm

Crèche illuminée

Dès que les bougies placées derrière le carton sont allumées, cette crèche s'illumine tel un vitrail ensoleillé. Faites une surprise à vos parents en la posant au pied du sapin le soir de la veillée de Noël.

Matériel
- un carton rectangulaire de 35 x 30 cm
- des feuilles de papier de soie blanc, orange, rouge, jaune, bleu et lilas
- un crayon
- une règle
- un cutter
- des ciseaux
- des restants de papier doré et argenté
- un morceau de carton ou de vieux journaux comme support
- de la colle
- du papier collant transparent
- 3 bougies à réchaud

1. Prenez le carton rectangulaire pour confectionner le cadre et les deux parois latérales de la crèche. A l'aide du crayon et de la règle, tracez un bord de 1,5 cm tout autour de la face avant du carton.

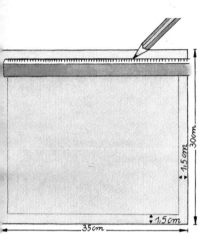

2. Protégez votre table en la recouvrant d'un morceau de carton ou de quelques vieux journaux. A l'aide de la règle et du cutter découpez soigneusement le cadre.

3. Divisez le carton en deux parties égales, comme vous l'indique le dessin ci-dessous. Voici les parois latérales de la crèche.

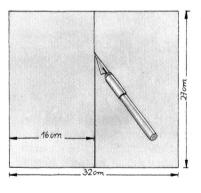

4. Recouvrez le cadre et les parois de papier doré ou argenté. Ici, nous avons choisi du papier doré pour le cadre et de l'argenté pour les deux parois.

5. Encollez la face arrière du cadre et collez-le sur le papier de soie blanc. Coupez les pans de la feuille qui dépassent. Le fond de la crèche est terminé.

6. Posez le cadre sur la table de sorte que le côté doré soit en dessous. Maintenant, commencez à assembler les personnages. Agencez bien les figurines avant de les coller.

7. Commencez par le visage de Joseph et de Marie. Déchirez des morceaux d'environ 6 cm de côté dans le papier blanc et froissez-les afin d'obtenir la forme d'un visage. Disposez-les au bon endroit sur le fond de la crèche.

8. La robe de la Vierge est faite d'un morceau de papier rouge de 20 x 12 cm. Froissez-le en forme de toge. Puis, posez-le sous le visage de la figurine.

9. La toge de Joseph est faite à partir d'un morceau de papier de soie bleu de même dimension. Une fois que vous avez bien disposé tous ces éléments sur le fond de la crèche, fixez-les avec un peu de colle.

10. Prenez un morceau de papier de soie rouge d'environ 7 x 5 cm pour confectionner les manches de la robe de Marie. Sa main est faite d'un petit bout de papier blanc. Pour la cape, déchirez un morceau de papier bleu d'environ 22 x 10 cm. Formez un capuchon et passez la cape au-dessus de la tête et de la robe de Marie.

11. Procédez de la même manière pour confectionner les manches bleues, la main blanche et la cape lilas de Joseph. Sa chevelure est aussi lilas et doit être collée avec précaution derrière la tête.

12. Maintenant, déchirez un morceau d'environ 8 cm de côté dans votre papier orange. Froissez-le en forme de grotte et collez celle-ci autour des deux figurines. Prenez un bout de papier blanc et jaune pour former le petit corps de l'enfant Jésus. Puis, collez-le entre Marie et Joseph.

13. Pour que la grotte ait l'air plus rocheuse, fixez de grands morceaux de papier jaune et orange dans le fond de la crèche.

14. Fixez les deux parois latérales de part et d'autre du cadre avec du papier collant transparent. Les faces argentées des parois doivent être à l'extérieur. Redressez-les à la verticale afin que votre crèche reste bien stable.

Etoile à branches en relief

Cette étoile repose entièrement sur la technique du pliage. Toutes les branches tiennent ensemble sans la moindre colle. Ce bricolage requiert donc un peu de patience et d'habileté. Pour réaliser l'étoile que nous vous proposons ici, nous avons choisi du papier doré double face. Mais vous pouvez aussi prendre du papier doré simple.

1. A l'aide de la règle, tracez quatre bandelettes de 50 cm de long et de 2 cm de large sur le papier doré et découpez-les.

2. Pliez toutes les bandelettes en deux : elles n'ont donc plus que 25 cm de long.

3. Entrelacez ces doubles bandes de manière à obtenir un carré, comme vous le montre le dessin. Voici la partie centrale de votre étoile.

Matériel
- du papier doré double face
- un crayon
- une règle
- une aiguille et du fil

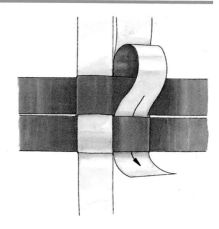

4. Prenez la couche supérieure de la double bande située à droite et repliez-la vers la gauche.

6. A gauche, vous avez maintenant deux bandes l'une à côté de l'autre. Prenez la couche supérieure de la bandelette qui se trouve au-dessus et repliez-la vers la droite.

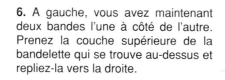

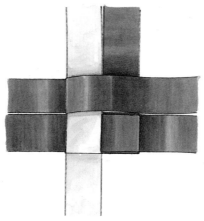

8. Maintenant, prenez la bandelette supérieure gauche et rabattez-la vers l'arrière. Pliez le début de cette bandelette en forme de triangle.

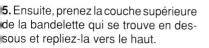

5. Ensuite, prenez la couche supérieure de la bandelette qui se trouve en dessous et repliez-la vers le haut.

7. Au-dessus, vous avez également deux bandelettes situées l'une à côté de l'autre. Prenez à nouveau la couche supérieure de la bande de droite. Puis, glissez-la sous le petit carré central de droite. Comparez votre pliage au dessin.

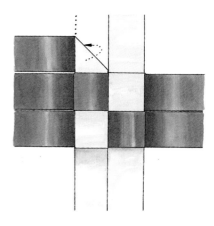

9. Tournez votre travail de 90° et répétez chaque fois la même opération avec la bandelette de gauche, jusqu'à avoir fait un tour complet. Le dessin vous montre comment votre pliage se présente maintenant.

10. Prenez la bandelette supérieure gauche et repliez-la vers le bas de manière à obtenir un triangle isocèle.

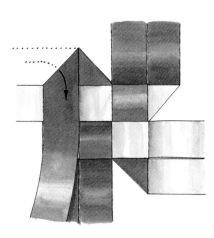

11. Pliez le triangle en deux et rabattez-le vers le milieu de l'étoile. Prenez l'extrémité de la bandelette et glissez-la sous le petit carré situé juste sous le triangle. Tirez légèrement sur la bande pour bien aplatir votre pliage.

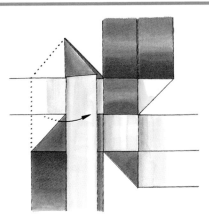

12. Tournez votre travail de 90° et répétez la phase 11 avec les trois autres bandelettes pliées. N'oubliez pas de toujours bien glisser l'extrémité de la bandelette sous le petit carré de la partie centrale de l'étoile.

13. Retournez l'étoile et répétez les phases 8 à 12 avec chaque bandelette de gauche. Chaque fois que vous tournez l'étoile de 90°, vous avez toujours deux bandelettes à gauche dont l'une est plus longue que l'autre. C'est cette dernière que vous devez replier.

14. Votre pliage comporte maintenant de chaque côté une étoile plane à huit angles. Posez le travail sur la table, comme vous le montre le dessin.

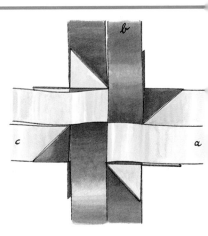

15. Rabattez la bandelette a vers la gauche et enroulez la bandelette b de manière à former une boucle (voyez le dessin ci-dessus). Glissez l'extrémité de la boucle sous la "naissance" de la bandelette b. Ainsi, l'extrémité de la boucle va ressortir du côté de la pointe c.

16. Tirez sur la bandelette glissée sous la pointe c jusqu'à ce que la boucle ait la forme d'un cornet pointu. Puis, coupez l'extrémité de la bandelette qui dépasse. Coupez-la en oblique le long de la pointe c.

18. Pliez les deux derniers cornets de la même façon. Votre étoile est presque terminée. Comparez votre pliage avec le grand dessin ci-dessous.

19. Retournez votre pliage et répétez les phases 15 à 18.
Enfilez l'aiguille et piquez à travers l'une des pointes de l'étoile plane du milieu. Il ne vous reste plus qu'à suspendre votre belle étoile dorée au plafond.

17. Tournez l'étoile de 90° dans le sens inverse des aiguilles d'une montre de sorte que le cornet soit au-dessus. Répétez les phases 15 et 16 avec les bandelettes suivantes.

Répertoire

Cartons d'invitation et cartons de table

Barquettes de pirate _____ 126
Carte d'anniversaire _____ 28
Carte "en fleur" _____ 32
Carte à papillons _____ 22
Carte en forme de Père Noël ___ 195
Carte en relief _____ 30
Cheval à bascule _____ 142
Etoiles pliées _____ 212
Flottille _____ 146
Hirondelle _____ 130
Invitation à un barbecue _____ 14
Lac des cygnes _____ 144
Landau _____ 24
Lapin dans un haut-de-forme ____ 18
Montgolfière _____ 26
Orange à éplucher _____ 16
Serviettes pliées _____ 148
Tableaux stylisés _____ 82
Vautour _____ 44

Travaux de pliages

Barquettes _____ 126
Boîte en cercles _____ 104
Boîte "en fleur" _____ 110
Boîte à rabats _____ 106
Boîte triangulaire _____ 108
Calendrier de l'Avent _____ 201
Carte "en fleur" _____ 32
Carte à papillons _____ 22
Chauve-souris _____ 46
Envol de grues _____ 170
Etoiles bicolores _____ 204
Etoiles à branches en relief ___ 212
Flottille _____ 146
Guirlandes de toutes les couleurs 39
Hirondelle _____ 130
Jeu de fléchettes _____ 120
Lampe à motifs contrastés _____ 192
Paon majestueux _____ 113
Serviettes en éventail _____ 152
Serviettes pliées _____ 148
Serviettes en pochettes _____ 150
Un bon petit diable _____ 52
Vautour _____ 46

Ornements pour fenêtres

Arbre transparent _____ 72
Etoile bicolore _____ 204
Etoile en papier de soie _____ 195
Oeufs en mobile _____ 74
Oeufs à motifs découpés _____ 62
Paysage enneigé _____ 208

Pêcheur à contre-jour _____ 176
Tableau féerique _____ 174
Vitrail _____ 203

Emballages cadeaux

Boîte en cercles _____ 104
Boîte "en fleur" _____ 110
Boîte à rabats _____ 106
Boîte triangulaire _____ 108
Calendrier de l'Avent _____ 201
Coqs autour d'un nid _____ 64
Lapin à corbeille _____ 60
Paon majestueux _____ 113
Papier en batik de cire _____ 103
Papier marbré _____ 102
Papier à motifs imprimés _____ 100

Lanternes et lampions

Crèche illuminée _____ 210
Forme de base pour lanterne ___ 182
Lampe à motifs contrastés _____ 192
Lanterne à étoiles _____ 188
Lanterne à motifs perforés _____ 186
Lanterne solaire _____ 189
La technique du repassage _____ 184
La technique du soufflage _____ 185

Mobiles

Arbre de vie _____ 164
Chauve-souris _____ 46
Chorale d'anges _____ 206
Coq et poules _____ 66
Coqs suspendus _____ 68
Envol de grues _____ 170
Etoile bicolore _____ 204
Etoile à branches en relief _____ 212
Etoile en relief _____ 198
Nuage et arc-en-ciel _____ 158
Oeufs en mobile _____ 74
Oeufs à motifs découpés _____ 62
Paysage estival _____ 160
Pigeons à motifs _____ 162
Pissenlits suspendus _____ 166
Tableau féerique _____ 174
Un bon petit diable _____ 52

Boîtes et autre récipients

Boîte en cercles _____ 104
Boîte "en fleur" _____ 110
Boîte à rabats _____ 106
Boîte triangulaire _____ 108
Coqs autour d'un nid _____ 64
Cornet à friandises _____ 84
Lapin à corbeille _____ 60

Porte-crayons _____ 96
Serviettes en pochettes _____ 150

Jeux et marionnettes

Barquettes et histoire de pirate _ 126
Cerf-volant pour l'automne _____ 92
Chien-marionnette _____ 136
Eléphants-marionnettes _____ 118
Eolienne _____ 122
Hirondelle _____ 130
Jeux de fléchettes _____ 120
Lapin et hérisson
en ombres chinoises _____ 133
Casse-tête chinois _____ 70
Serpent à ballon _____ 119

Décorations pour la tables

Dragon cracheur de feu _____ 40
Flottille _____ 146
Fruits en papier mâché _____ 80
Guirlandes pour la table _____ 39
Guirlandes de toutes les couleurs 154
Lapin à corbeille _____ 60
Serpent à ballon _____ 119
Serviettes en éventail _____ 152
Serviettes pliées _____ 148
Serviettes en pochettes _____ 150
Un bon petit diable _____ 52
Vitrail _____ 203

Déguisements

Colliers multicolores _____ 36
Couronne d'anniversaire _____ 129
Guirlandes de toutes les couleurs 154
Masque-oiseau _____ 42

Décorations murales

Calendrier d'anniversaire _____ 124
Chauve-souris _____ 46
Hibou _____ 90
Masques décoratifs _____ 50
Oeufs à motifs découpés _____ 62
Paysage à collages _____ 86
Poisson en papier crépon _____ 78
Portraits en noir et blanc _____ 94
Prairie printanière _____ 58
Tableaux en batik de colle _____ 88
Tableaux stylisés _____ 82

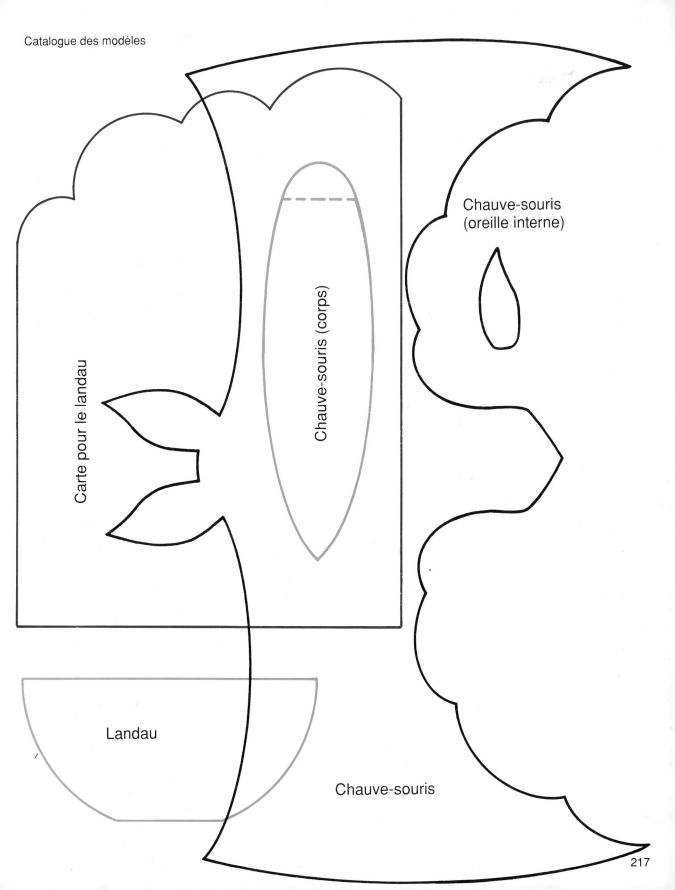

Chauve-souris
(oreille interne)

Carte pour le landau

Chauve-souris (corps)

Landau

Chauve-souris

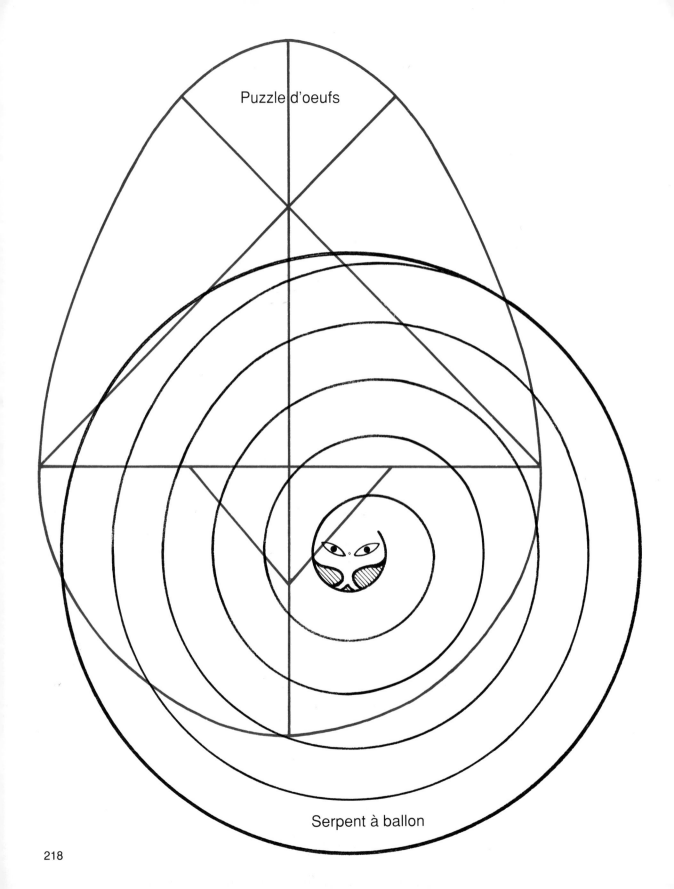

Puzzle d'oeufs

Serpent à ballon

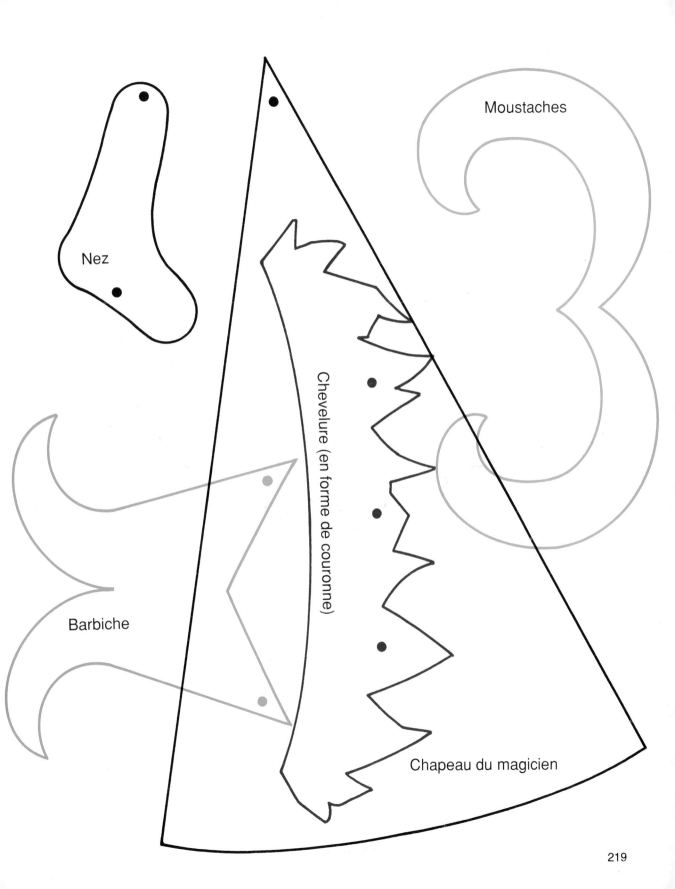

Moustaches

Nez

Chevelure (en forme de couronne)

Barbiche

Chapeau du magicien

219

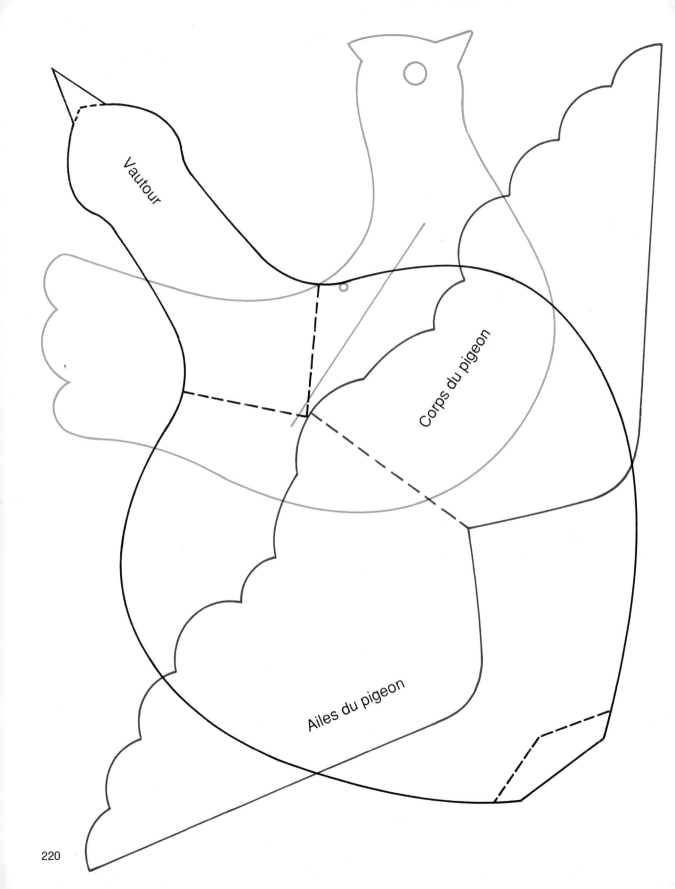

Vautour

Corps du pigeon

Ailes du pigeon

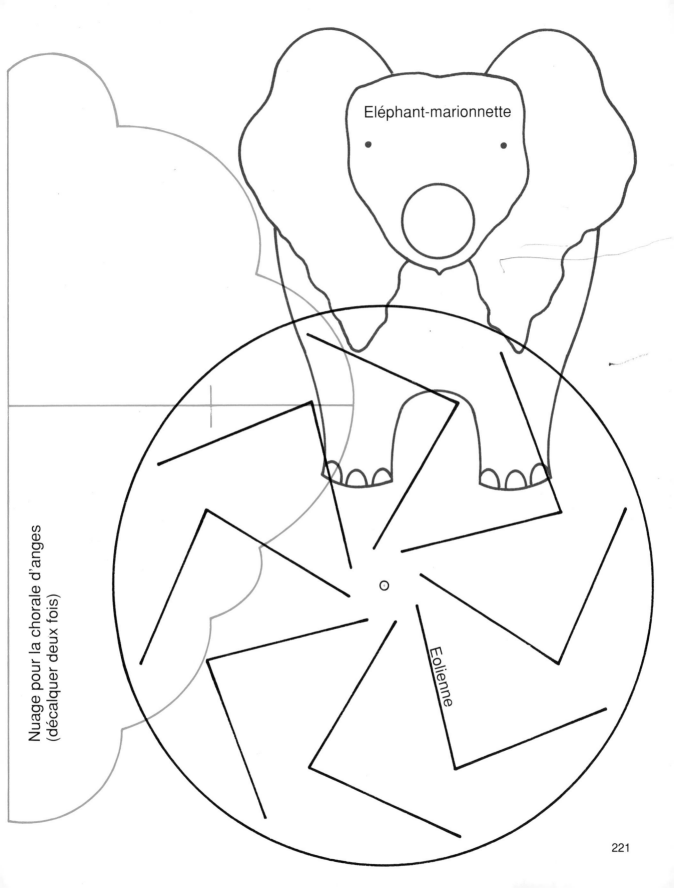

Eléphant-marionnette

Nuage pour la chorale d'anges
(décalquer deux fois)

Eolienne

221

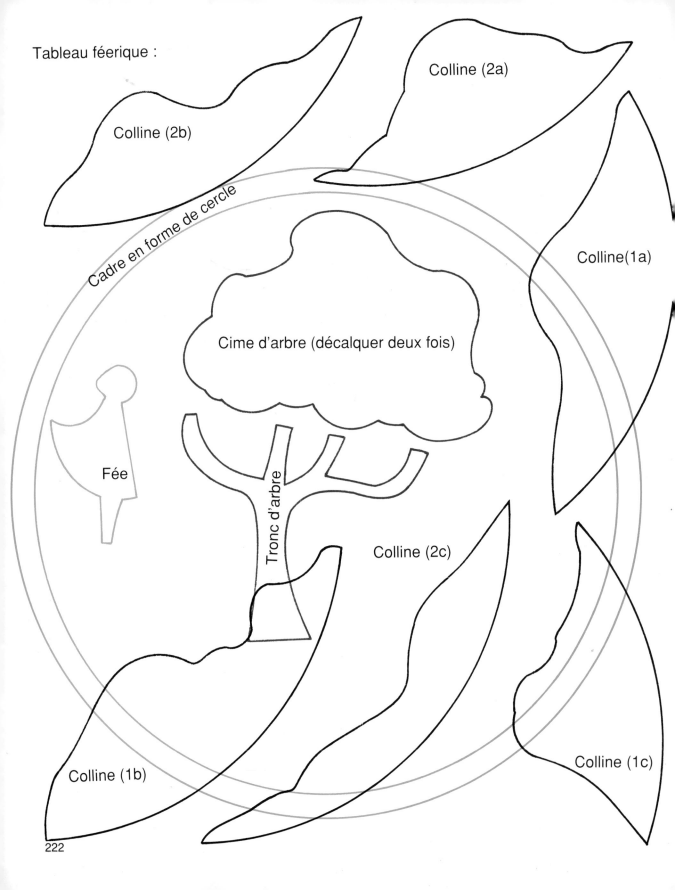

Tableau féerique :

Colline (2b)

Colline (2a)

Cadre en forme de cercle

Colline (1a)

Cime d'arbre (décalquer deux fois)

Fée

Tronc d'arbre

Colline (2c)

Colline (1b)

Colline (1c)

222

Feuilles pour la prairie printanière

Buisson pour lapin et hérisson
en ombres chinoises

Buisson pour lapin et hérisson
en ombres chinoises

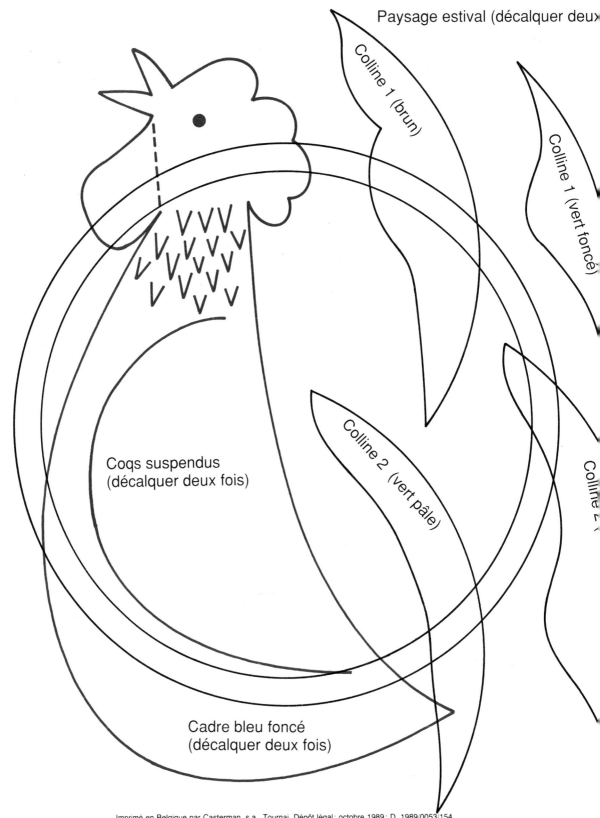

Paysage estival (décalquer deux ~~fois~~

Colline 1 (brun)

Colline 1 (vert foncé)

Coqs suspendus
(décalquer deux fois)

Colline 2 (vert pâle)

Colline 2

Cadre bleu foncé
(décalquer deux fois)

Imprimé en Belgique par Casterman, s.a., Tournai. Dépôt légal: octobre 1989; D. 1989/0053/154.
Déposé au Ministère de la Justice, Paris (loi n° 49.956 du 16 juillet 1949 sur les publications destinées à la jeunesse).